art in context

DIE KUNST DER GOTIK

Höfe, Klöster und Kathedralen

MICHAEL CAMILLE

Umschlagvorderseite: Kathedrale von Wells, Kapitelsaal (© Florian Monheim, Düsseldorf)
Umschlagrückseite: Brüder Limburg, *Die Versuchung Christi* aus *Les Très Riches Heures*
(s. auch Abb. 48);
Kathedrale von Laon, Westfront (s. auch Abb. 14)
Frontispiz: Claus Sluter, *Herzog Philipp der Kühne*, (Ausschnitt aus Abb. 79)

Danksagung

Gotische Kunst wäre nie ein Teil meines Lebens geworden, wenn es nicht zwei Menschen gegeben
hätte, die wie der Engel des Apostel Johannes mich dazu aufgefordert hätten: »Komm und sieh!« –
meine erste Lehrerin der Kunstgeschichte, Audrey Collingham, und mein letzter Lehrer der
Kunstgeschichte, Professor George Henderson. Ich möchte mich ebenfalls bei den vielen
Museumskuratoren und Handschriften-Bibliothekaren bedanken, die bei der Vorbereitung zu
diesem Buch ihre Türen und Bücher für mich geöffnet haben.

Die Deutsche Bibliothek - CIP-Einheitsaufnahme

Camille, Michael
Die Kunst der Gotik : Höfe, Klöster, Kathedralen / Michael Camille
- Köln : DuMont, 1996
Einheitssacht.: Gothic art <dt.>
ISBN 3-7701-3803-1
NE: HST

Übersetzung aus dem Englischen von Christine Diefenbacher

© der englischen Ausgabe: Calmann & King Ltd., London 1996
© der deutschen Ausgabe: DuMont Buchverlag GmbH & Co KG, Köln 1996

Produktion und Design: Calmann & King Ltd., London
Series Consultant: Tim Barringer (Birkbeck College, London)

Satz der deutschen Ausgabe: DuMont Buchverlag, Köln
Druck und buchbinderische Verarbeitung: South China Printing Co., Hongkong
ISBN 3-7701-3803-1

Printed in Hongkong

Inhalt

Karte: Europa im Zeitalter der Gotik   6

Einleitung: **Die Gotik in neuem Licht**   **9**
Die neue Sichtweise 12
Augen-Blicke und Visionen 16
Sehen und Wissen 21

1. Kapitel: **Die neue Sicht des Raumes**   **27**
Das Himmlische Jerusalem 28
Himmlisches Licht 41
Gotische Kunst und weltliche Macht 57

2. Kapitel: **Die neue Sicht der Zeit**   **71**
Vergangenheit 74
Zukunft 89
Gegenwart 95

3. Kapitel: **Die neue Sicht Gottes**   **103**
Klöster und Kirchen 105
Das private Andachtsbild 115
Mystische Visionen 122

4. Kapitel: **Die neue Sicht der Natur**   **133**
Die gebändigte Natur 134
Vorlagen- und Musterbücher 143
Das Monströse und der Tod 151

5. Kapitel: **Die neue Sicht des Selbst**   **163**
Das Porträt als Statussymbol 164
Die Liebe und das Spiegelbild 167
Der Künstler als Betrachter 173

Zeittafel 184
Literaturverzeichnis 186
Abbildungsnachweis 187
Register 188

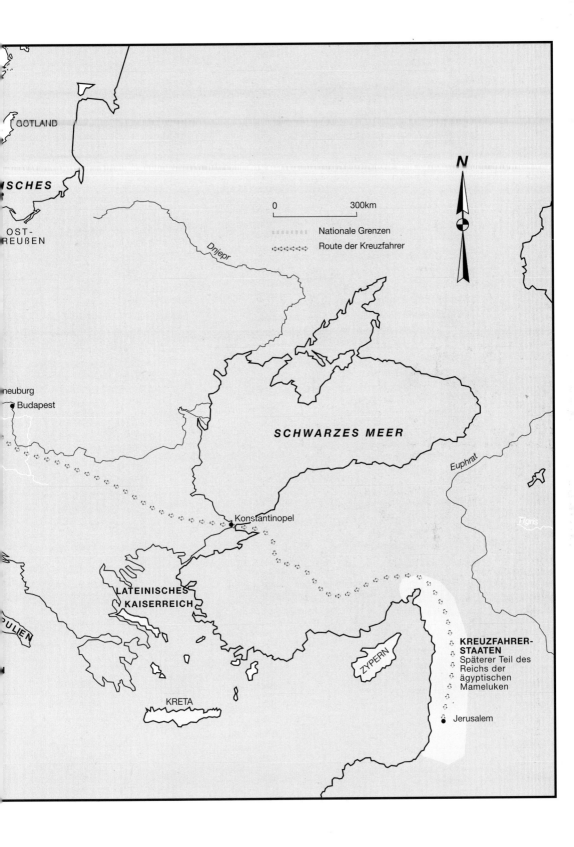

GOTLAND

...SCHES

OST-
...REUßEN

...neuburg
● Budapest

Dnjepr

0   300km

_____ Nationale Grenzen
◇◇◇◇◇◇ Route der Kreuzfahrer

N

SCHWARZES MEER

Euphrat

Tigris

Konstantinopel

LATEINISCHES
KAISERREICH

...PULIEN

ZYPERN

KRETA

KREUZFAHRER-
STAATEN
Späterer Teil des
Reichs der
ägyptischen
Mameluken

● Jerusalem

Die Gotik in neuem Licht

1 Körperliche Vision versus geistige Vision:
König David schaut hinab zur badenden Bathseba und hinauf zu Gott.
Saint Louis Psalter, Paris, ca. 1260. Buchmalerei auf Pergament, 21 x 8,9 cm.
Bibliothèque Nationale, Paris

Die Bezeichnung »Gotik« kann auf eine eigene, bewegte Geschichte zurückblicken (Abb. 2). Dieses Etikett, mit dem wir heutzutage jene Gebäude und Kunstgegenstände belegen, die unter Verwendung des charakteristischen Spitzbogens zwischen der Mitte des 12. Jahrhunderts und dem ausgehenden 13. Jahrhundert in verschiedenen europäischen Landstrichen entstanden, existierte zur fraglichen Epoche noch gar nicht. Im Zeitalter der Renaissance prägten Humanisten die abschätzige Bezeichnung für die »barbarische« Architektur, die auf den Niedergang jener antiken Kultur gefolgt war, deren glorreiche Wiedergeburt sie enthusiastisch feierten. Erst im späten 18. Jahrhundert wurde der Begriff »Gotik« – samt des entsprechenden Stils – wieder aktuell. Dieser Umstand war auf Altertumsforscher zurückzuführen, die die Überreste der Vergangenheit zu sichern trachteten. Zu ihnen stießen später auch Architekten wie A. C. Pugin (1768-1832) und religiöse Erweckungsprediger wie dessen Sohn A. W. N. Pugin (1812-1852), der die Gotik 1841 in seinen *True Principles of Pointed or Christian Architecture* als Reaktion auf zeitgenössische soziale und kulturelle Krisen interpretierte. Im Jahr darauf wurde die Vollendung des bereits im 13. Jahrhundert begonnenen Kölner Doms in Angriff genommen. In den folgenden Jahrzehnten entstanden in Europa unzählige Kirchen, Schulen, ja Fabriken in neugotischem Stil. Der aufkommende kulturelle Nationalismus und die neuen Evolutionstheorien zur Erklärung des historischen Fortschrittes führten dazu, daß französische, britische und deutsche Kunsthistoriker jeweils ihr eigenes Land zur Wiege der Gotik erklärten.

Bald bezeichnete man mit dem Etikett Gotik nicht mehr nur einen bloßen Kunststil, sondern eine ganze Epoche – das »Zeitalter der Gotik«. Romantische Schriftsteller Frankreichs wie Victor Hugo (1802-1885) sahen in der Gotik ein Zeitalter großer Religiosität. Englische Kunstkritiker und Sozialphilosophen wie John Ruskin (1819-1900) betrachteten sie als goldenes sozialistisches Zeitalter der Kunsthandwerker vor der einsetzenden Industrialisierung. Deutsche Expressionisten interpretierten zu Beginn des 20. Jahrhunderts die spätgotischen, verzerrten Formen als Vorboten ihrer eigenen, mo-

2 August Charles Pugin
(1768-1832)
Frontispiz zu *Specimens of
Gothic Architecture*, London,
1821-1823, 18 x 24 cm.
Privatbesitz

Die Gravur wurde nach
Pugins Entwurf eines Portales
für die Kapelle Heinrichs VIII.
in der Westminster Abbey
gefertigt. Die Zerstörung
gotischer Kunstwerke und
das Bemühen von Männern
wie A. C. Pugin sowie seines
berühmten Sohns A. W. N.
Pugin, in der zeitgenössichen
Architektur »die Gotik
wiederzubeleben«, führte zu
einem ersten Interesse an
deren Formen.

Gegenüberliegende Seite:
3 Perspektivischer
Querschnitt eines Jochs der
Kathedrale von Amiens nach
**Eugène Emmanuel Viollet-
le-Duc**, *Dictionnaire
raisonnée de l'architecture
française du XIe au XVIe
siècle*, Paris, 1859-1868

Diese Darstellung enthält
sämtliche architektonischen
Neuerungen der Hochgotik :
das Rippengewölbe, das sich
jetzt in sämtlichen Jochen
durchgesetzt hatte; Strebepfeiler zur Errichtung höherer
und dünnerer Wände; das
von Maßwerk durchbrochene
Triforium und der erweiterte
Lichtgaden anstelle früherer
Tribünen oder Galerien;
schließlich die viel Licht
durchlassenden
Maßwerkfenster, welche die
Wände nahezu auflösen.

dernen Angst. Die Tatsache, daß die Gotik bereits in der Vergangenheit aus völlig verschiedenen Blickwinkeln betrachtet wurde,
macht es nicht gerade leichter, eine Definition dessen zu geben, was
Gotik in unserer heutigen, postmodernen Kultur bedeutet.

Gegenwärtig gibt es zwei grundlegende Betrachtungsweisen gotischer Kunst und Architektur, die beide aus dem 19. Jahrhundert
stammen. Der erste, rationalistische und weltliche Ansatz geht auf
den Kunsthistoriker und Restaurator Eugène Emmanuel Viollet-le-
Duc (1814-1879) zurück. Viollet-le-Duc sah in den großartigen
gotischen Kathedralen Produkte des Fortschritts in Technik und
Ingenieurwesen. Seine sorgfältigen Querschnitte von der Kathedrale
in Amiens dienen in der Kunstgeschichte noch heute zur Analyse
der verschiedenen architektonischen Elemente großer Kirchen, von
Säulenbasen und Pfeilern des einzelnen Joches über das dekorative

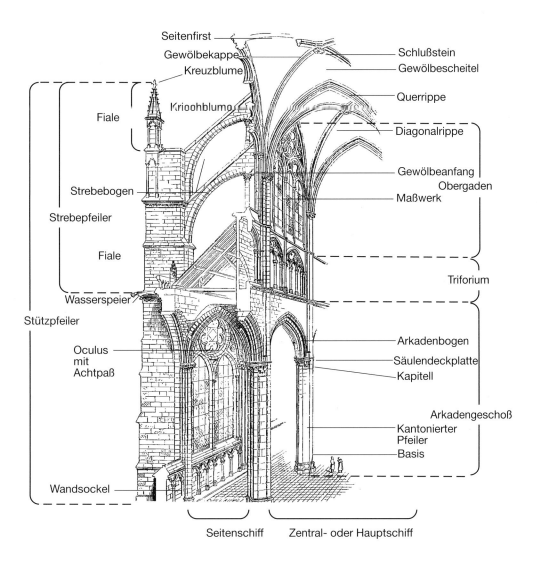

Seitenfirst
Gewölbekappe
Kreuzblume
Fiale
Krieohblume
Strebebogen
Strebepfeiler
Fiale
Wasserspeier
Stützpfeiler
Oculus mit Achtpaß
Wandsockel

Schlußstein
Gewölbescheitel
Querrippe
Diagonalrippe
Gewölbeanfang
Obergaden
Maßwerk
Triforium
Arkadenbogen
Säulendeckplatte
Kapitell
Arkadengeschoß
Kantonierter Pfeiler
Basis

Seitenschiff   Zentral- oder Hauptschiff

Bossen- oder Quaderwerk bis hin zu den Gewölberippen (Abb. 3). Der zweite, eher mystische und literarische Ansatz nimmt ebenfalls eine Klassifizierung vor, jedoch weniger der einzelnen Bauteile, als vielmehr der bedeutungsträchtigen Symbole – gemeint ist die sogenannte Ikonographie. Diese Betrachtungsweise kommt am besten in den Schriften des französischen Gelehrten Emile Mâle (1862-1954) zum Ausdruck, der Kathedralen zu »lesen« versuchte, als seien sie »Bücher aus Stein«. Beide Vorgehensweisen sind berechtigt, trennen jedoch Form und Inhalt voneinander. Sie laufen daher Gefahr, im ersten Fall die Fragestellungen auf das Studium von Querschnitten und Grundrissen und im zweiten Fall von schriftlichen Programmen und Texten einzuengen. Dem vorliegenden Buch liegt ein anderer Ansatz zugrunde: Die gotische Kunst soll nicht durch das abstrakte Auge eines Ingenieurs oder eines Ikonographen, sondern vielmehr mit jenem kraftvollen, der Wahrnehmung, dem Wissen und dem Vergnügen dienenden Sinnesorgan gesehen werden, als das es die mittelalterlichen Menschen beschrieben.

Die neue Sichtweise

Anhand der Betrachtung einer gotischen Kathedrale soll die Aufteilung des vorliegenden Buches verdeutlicht werden. Jene Menschen, die gegen Ende des 13. Jahrhunderts die Kathedrale von Amiens besuchten (Abb. 4), versuchten dort weder einzelne architektonische Elemente auszumachen noch Symbole zu entschlüsseln. Sie nahmen vielmehr voller Staunen eine neue Sicht- und Bauweise zur Kenntnis: Dünne Wände, riesige Fenster und steil in die Höhe strebende Gewölbe schufen einen völlig neuen Raumeindruck. Mit dieser neuen Sicht des Raumes befaßt sich das erste Kapitel. Wie alle Kathedralen diente auch jene von Amiens zur Abhaltung liturgischer Bräuche und Feiern des Kirchenjahres. Diese grundlegende zeitliche Komponente gotischer Kunst wird im zweiten Kapitel untersucht. Verglichen mit jener farbenfrohen Vielfalt und Pracht, die sich dem mittelalterlichen Besucher dargeboten haben dürfte, mutet der Innenraum der Kathedrale von Amiens heute geradezu kahl an. Die bemalten Säulen wurden von Wandteppichen geziert, und die Glasmalereien der heute meist zerstörten Fenster bargen Tausende von Figuren. Große Pilgerscharen strömten zu den Kapellen und Altären, die unzählige Statuen, Altarbilder und Reliquienschreine beherbergten. Dieser Überfülle von Bildnissen im gotischen Raum widmet sich das dritte Kapitel. Eine weitere Besonderheit in der Kathedrale von Amiens ist ein in Stein gemeißeltes Band üppiger Blumen- und Blättermotive, das wie ein Blumenkasten am unteren Rand des Triforiums oder Säulengangs an der Hochschiffswand entlangläuft. Gotische Kunst trachtete einerseits danach, das Unsichtbare faßbar zu machen, und legte andererseits einen großen Schwerpunkt auf die Darstellung der Natur. Mit diesem Aspekt befaßt sich das vierte Kapitel. Großartige Bauten wie die Kathedrale von Amiens gelten oft als Werk selbstloser, anonymer Steinmetze und Kunsthandwerker. Ein herrliches Labyrinth, das 1288 inmitten des Hauptschiffs ausgelegt wurde, führt jedoch unter Lobpreisung ihrer Fähigkeiten die Namen der drei Maurermeister Robert de Luzarches sowie Thomas und Renaud de Cormont auf. Das Schlußkapitel setzt sich daher mit dem Aufkommen dieses künstlerischen Selbstbewußtseins auseinander.

Gotische Kunst als die Verkörperung visueller Erfahrungen der mittelalterlichen Menschen zu betrachten, ist selbstverständlich nur eine Möglichkeit, mehr als drei Jahrhunderte des »Bildermachens« und der Bildbetrachtung zusammenhängend darzustellen. Die Behandlung der Gotik gestaltet sich deshalb so schwierig, weil sich im Vergleich etwa zur romanischen Kunst und Architektur weitaus mehr Werke erhalten haben. Die Gotik durchdrang als erster

4 Kathedrale von Amiens, Baubeginn ca. 1220. Blick aus dem Schiff gen Osten

Das schwindelerregend hohe, von Robert de Luzarches (tätig 1220-1235) errichtete Gewölbe lenkt den Blick des Betrachters gleichzeitig nach vorne (durch eine Folge klar abgesetzter Joche) und nach oben (durch eine gelungene, systematische Abfolge von Säulenschäften, die die einzelnen Geschosse verbinden). Mit einer Innenhöhe von 43 m und mehr als 8000 m² überbauter Grundfläche stellt die Kathedrale von Amiens die größte gotische Kirche Europas dar.

Kunststil das gesamte zeitgenössische Leben. Sie beschränkte sich keineswegs auf die Architektur: Gotische Spitzbögen und gotisches Maßwerk finden sich auf allen nur erdenklichen Gegenständen, von Löffeln bis zu Schuhen. Überdies handelte es sich bei der Gotik um den ersten internationalen Stil, der sich in ganz Europa ausbreitete. Gotische Künstler schufen gewissermaßen als erste jenes Phänomen, das wir heute als »Mode« bezeichnen. Gotische Kunst und Architektur dürfen folglich nicht als ein Spiegelbild, sondern vielmehr als integraler Bestandteil jener grundlegenden historischen Veränderungen gesehen werden, die sich in der damaligen Kultur und Gesellschaft vollzogen.

Die wichtigste Veränderung der damaligen Zeit bestand in dem wirtschaftlichen und sozialen Aufschwung der Städte und des Handels. So wich der traditionelle, dreigliedrige Aufbau der mittelalterlichen Gesellschaft, die sich bekanntlich aus dem Klerus, dem Adel und den Bauern zusammensetzte, einem komplexeren Sozialgefüge, zu dem auch Kaufleute und Handwerker gehörten. Diese neue Bevölkerungsgruppe, die keineswegs nur mit dem Bau von Kirchen und Kathedralen beschäftigt war, knüpfte ein weitgespanntes Netz von Beziehungen und förderte den Warenaustausch, im 14. Jahrhundert beispielsweise zwischen Italien und Flandern. Dieser Umstand wirkte sich spürbar auf das künstlerische Schaffen aus. Auch das zunehmende Machtstreben der weltlichen Herrscher spielte eine zentrale Rolle. Der König von Frankreich und der römisch-deutsche Kaiser wagten gar, die Autorität des Papstes in Frage zu stellen. Sie begriffen rasch, wie gut sich prächtige Propagandawerke zur Konsolidierung ihrer Macht einsetzen ließen.

Im 13. und 14. Jahrhundert wurde die Position der Kirche zusehends schwächer. Nicht genug damit, daß sie sich durch königliche Machtansprüche bedroht sah, galt es auch noch neue und äußerst populäre religiöse Gruppierungen wie Franziskaner und Dominikaner zu integrieren. Die beschriebene Entwicklung gipfelte im Großen Abendländischen Schisma (1378-1417). Es wäre jedoch irreführend, von diesem Niedergang der kirchlichen Institutionen auf die Verweltlichung der Gesellschaft zu schließen. In damaliger Zeit verspürten nämlich auch Laien zunehmend das Bedürfnis, sich in geistliche Themen zu vertiefen. Zu diesem Zweck bedienten sie sich häufig bildlicher Darstellungen. Von der Wiege bis zur Bahre wurde das Leben des einzelnen durch seine jeweilige Pfarrkirche geprägt. Um gotische Kunst verstehen zu können, muß man sich vor Augen führen, daß das Christentum Geist und Körper der Menschen zunehmend zu kontrollieren suchte. Außerdem gilt es, jenes uralte Klischee über Bord zu werfen, wonach das 13. Jahrhundert (jene Zeit, in der die großen Kathedralen entstanden) einen kulturellen Höhepunkt darstellte, dem ein unaufhaltsamer, alle Bereiche erfassender Abstieg folgte. Es wäre falsch, die spätgotische Kultur des 14. und beginnenden 15. Jahrhunderts nur als Zeit schonungslosen Elends und künstlerischen Niedergangs innerhalb einer Gesellschaft zu werten, die nicht nur durch religiöse und politische Streitigkeiten, sondern auch noch von der großen Pestwelle von

1348/49 heimgesucht wurde. Vielmehr war dieser Zeitraum eine Phase geistiger Expansion, die weit weniger bruchlos in die Periode der Renaissance überleitete als bisher angenommen.

Gotische Kunst stellt seit jeher ein technisches Verfahren dar, das darauf abzielt, den Betrachter in eine bestimmte Form visueller Kommunikation einzubeziehen. Im Vergleich zu anderen visuellen Verfahren war die Gotik sehr ›benutzerfreundlich‹. Gotische Kathedralen waren derart konstruiert, daß sie – gewissermaßen wie ein Computer – für Eingeweihte die Summe des damals verfügbaren Wissens parat hielten. Mittelalterliche Menschen liebten es, sich in Gemälde hineinzuprojizieren, so wie wir uns heute auf unserem Video- oder Computerbildschirm abbilden können. So gesehen bedienten sich Künstler wie Giotto di Bondone (ca. 1267-1337) erstmals der sogenannten »virtuellen Realität«.

Obwohl es uns nie gelingen wird, uns vollkommen in eine andere historische Epoche hineinzuversetzen, wollen wir dennoch versuchen, Bildwerke und Gebäude vom Blickwinkel jener historischen Person oder Gruppe aus zu betrachten, für die sie angefertigt wurden. Beim Betreten einer Kathedrale wird der mittelalterliche Besucher je nach Wissensstand und Erwartung ganz verschiedene Dinge wahrgenommen haben. Viele folgten dem in der Offenbarung beschriebenen Vorbild des Evangelisten Johannes, der von einem Engel aufgefordert wird: »Komm und Sieh!« (Abb. 5). Der wellenförmige Faltenwurf und die gekreuzten Arme des Engels lenken den visionären Blick des Johannes himmelwärts. Die geschwungenen Linien dieser Zeichnung erinnern an die Rippen des »crazy-vault«, des ausgefallenen Fächergewölbes der Kathedrale von Lincoln (s. Abb. 6). Sowohl die Miniatur als auch das stattliche Gewölbe zielen durch ihre Falten beziehungsweise Rippen darauf ab, das Auge des Betrachters unablässig an den einzelnen Linien, Licht- und Schattenzonen entlangwandern zu lassen. Anders als bei den sich endlos windenden romanischen Mustern aus früherer Zeit liegen jedoch diesen Formen strengere geometrische Prinzipien zugrunde. Ihre Linienführung folgt nicht nur einer bestimmten Ordnung, sondern auch noch einer bestimmten Richtung. Sie besitzt ein Ziel. Dieser Vergleich zwischen einem Gebäudeteil und einem Ausschnitt aus einem Buch verdeutlicht, daß man für das gotische Zeitalter in der Tat jenes sogenannte »periodische Auge« voraussetzen kann, mit dem Kunsthistoriker eine spezifische, von Publikum und Künstlern durch eine Vielzahl von Medien hindurch geteilte Sichtweise bezeichnen.

5 *Der Engel zeigt dem Apostel Johannes das Himmlische Jerusalem.* Miniatur aus einer englischen Apokalypse, ca. 1250 (Bildausschnitt). Buchmalerei auf Pergament, ganzseitig, 27,2 x 19,5 cm. Pierpont Morgan Library, New York, MS 524, fol. 21 recto

Augen-Blicke und Visionen

Schlägt man den für ein ganz spezifisches Augenpaar (nämlich dasjenige König Ludwigs IX. von Frankreich) angefertigten St. Louis Psalter auf, sieht man sich mit einem solchen persönlichen Blickwinkel konfrontiert. Das Rezitieren der Psalmen sollte des Königs Aufmerksamkeit auf Gott lenken, und die Miniaturen sollten gleichzeitig seinem Blick die richtige Richtung geben. Dies wird an der Initiale »B« deutlich, mit der der erste Psalm beginnt (Abb. 1, S. 8). In der oberen Hälfte des Buchstabens blickt König David aus einem Turmfenster auf die unten badende, nackte Bathseba herab. Mit Hilfe des Auges konnte man nicht nur sein Seelenheil retten, sondern sich auch versündigen. In der unteren Buchstabenhälfte wird König Ludwig eine edlere, religiöse Vision dargeboten. Vor dem prächtigen, mit der bourbonischen Lilie durchzogenen Hintergrund kniet ein König des Alten Testaments reumütig vor Gott, der in einer prächtigen Mandorla thront. Gemäß dieser Darstellungsweise erscheint Gott dem königlichen Betrachter nicht etwa leibhaftig, sondern in einer Vision. Abstrakte Formen und Wellenlinien dienten dem mittelalterlichen Künstler dazu, innerhalb eines Bildes verschiedene Wirklichkeitsebenen zu kennzeichnen. Eine der Schwierigkeiten, mit denen sich ein moderner Betrachter gotischer Kunstwerke konfrontiert sieht, beruht im Verstehen und Unterscheiden dieser komplexen visuellen Anhaltspunkte.

Richard von Saint-Victor (†1173), der Prior der gleichnamigen Abtei in Paris, verfaßte im späten 12. Jahrhundert einen Kommentar über die neutestamentarische Apokalypse oder das Buch der Offenbarung. Richard unterscheidet darin »geistige« und »körperliche« Betrachtungsebenen und beschreibt insgesamt vier Arten der Vision. Die körperliche Vision untergliedert er in zwei Stufen. In der ersten Stufe lenkt der Betrachter den Blick auf die Formen und Farben der sichtbaren Dinge und nimmt die Materie schlichtweg wahr. Die zweite körperliche Stufe befaßt sich darüber hinaus mit der mystischen Bedeutung des äußeren Erscheinungsbildes eines Gegenstandes. Solchermaßen ein Bild im Bild zu suchen, war zwar kein spezifisch gotisches Verfahren, doch wurde diese Symbolsprache zusehends wichtiger: Bilder wurden Schlüssel zum Wissen. Die dritte, geistige Stufe der Wahrnehmung diente der Ergründung der Wahrheit verborgener Dinge unter Zuhilfenahme von Formen, Figuren und Ähnlichkeiten. Diese Stufe entspricht am ehesten jener Offenbarung, die dem Evangelisten Johannes in der Apokalypse

6. Das »crazy vault« – das verblüffende Fächergewölbe im St. Hugh's Choir der Kathedrale zu Lincoln. Erbaut ca. 1192, nach 1239 wiedererrichtet

Die zusätzlich zur zentralen Rippe eingezogenen, ungewöhnlichen Schräg- und Querrippen des sechsteiligen Gewölbes laufen nicht in einem Mittelpunkt zusammen und grenzen keine einzelnen Felder ab, sondern ergänzen einander zu einer synkopischen Asymmetrie. Der zeitgenössische Autor des *Metrical Life of St. Hugh* verglich das Gewölbe mit »einem Vogel, der seine Schwingen zum Fliegen ausbreitet und – gestützt auf feste Säulen – zu den Wolken emporsteigt«.

widerfährt. Die vierte Stufe, die mystische, folgte auf die pure und nackte Betrachtung der göttlichen Wirklichkeit. Sie wird im 1. Korinther 13,12 beschrieben: »Wir sehen jetzt durch einen Spiegel in einem dunklen Wort; dann aber von Angesicht zu Angesicht.«

Diese Kategorien entsprachen nicht etwa rein theologischen Unterscheidungen, sondern standen in engem Zusammenhang mit der Art von Bildern, welche die damaligen Künstler nach den Wünschen ihrer Mäzene anfertigten. Die beliebtesten Bilderbücher des 13. Jahrhunderts waren Schilderungen von Johannes' Vision der Apokalypse. Könige, Königinnen, Bischöfe und vermögende Kirchenmänner vertieften sich in diese mit kostbaren Miniaturen verzierten Bücher, weil sie sich mit Johannes identifizieren konnten, der in seiner geistigen Vision vom Weltuntergang Gott von Angesicht zu Angesicht erblickt hatte. Die ersten Apokalypsezyklen mit zahlreichen Einzeldarstellungen tauchten in England auf (s. Abb. 5). Sie dienten später als Vorlagen für andere Kunstformen wie etwa den monumentalen Wandteppich, der im späten 14. Jahrhundert in Paris für Herzog Ludwig von Anjou (1384-1417) angefertigt wurde (Abb. 7). Sowohl in den Miniaturen der Handschriften als auch in den monumentalen Kunstwerken wuchs der Person des Evangelisten Johannes immer größere Bedeutung zu. Der bisweilen durch ein Fenster auf die eigentliche Handlung herabschauende Johannes

7 *Die geistige Vision des Apostel Johannes aus der Offenbarung 12: der im Himmel tobende Streit. Aus dem Apokalypse-Wandteppich von Angers, Paris ca. 1380. Tapisserie, 4,30 m hoch. Château d'Angers*

Die Gotik in neuem Licht

nimmt stets lebhaften Anteil an dem Geschehen und fungiert als vermittelndes Bindeglied zwischen der dargestellten Vision und dem Betrachter.

Johannes' dynamische Gestalt verkörpert einen grundlegenden Unterschied zwischen unserem modernen Verständnis des Wahrnehmung und der mittelalterlichen Auffassung. Während der Sehvorgang für uns etwas Passives darstellt – die Wiedergabe von auf der Netzhaut reflektierten Bildern –, glaubten die mittelalterlichen Menschen an eine äußerst starke Eigenkraft des Blickes. Philosophen arbeiteten in ihre optischen Abhandlungen graphische Darstellungen der Lichtstrahlen ein, Bauern fürchteten, ihre Kühe könnten von einer Person mit dem »bösen Blick« verhext worden sein. Thomas von Aquin (1225-1274) und seinem Lehrer Albertus Magnus (ca. 1200-1280) zufolge wohnten dem menschlichen Blick derart immense Kräfte inne, daß er Materie greifbar zu prägen vermochte. Schwangeren Frauen wurde empfohlen, den Blick von allem Häßlichen abzuwenden, da sie sonst Gefahr liefen, ein mißgestaltetes Kind zur Welt zu bringen. Giftige Blicke konnten denjenigen, den sie trafen, ernstlich krank machen. Auch konnte man Feinde mittels Bilderzaubers »faszinieren« (was damals gleichbedeutend mit »behexen« war), ein Verbrechen, dessen Papst Bonifaz VIII. (1294-1303) bezichtigt wurde. Mittelalterliche Schriftsteller beschrieben nicht nur den rein physischen, alltäglichen Sehvorgang oder jene Bilder, die der Apostel Johannes im Geiste erblickte, sondern auch ungewöhnlichen Erscheinungen, die sich in Vorzeichen, Träumen, Heimsuchungen durch Tote und Teufelsbesessenheit manifestierten. In einer Welt voller sichtbarer und unsichtbarer Phänomene verfügten bildliche Darstellungen über weitaus mehr Macht als heutzutage.

Dies galt insbesondere für das während der Messe gespendete heilige Sakrament, das für den einzelnen Christen von zentraler Bedeutung war und immer stärker theatralisch inszeniert wurde; eine Entwicklung, die im Akt der Elevation, der Erhebung der geweihten Hostie durch den Priester gipfelte. Die Wandlung der Hostie wurde zum Vorbild für sämtliche visuellen Veränderungen. Aus den Beschlüssen des Vierten Vatikanischen Konzils von 1215 geht hervor, daß es sich dabei um eine »einzigartige und wunderbare Wandlung« der eucharistischen Gaben, des Brotes und des Weines, in den Körper und das Blut Christi handelte. Mystikerinnen wie die heilige Katharina von Siena (1347-1380) und die heilige Birgitta von Schweden (ca. 1300-1373) ließen sich direkt durch Visionen der Eucharistie inspirieren. Eine dem Leben der heiligen Birgitta gewidmete, italienische Handschrift enthält eine ganzseitige Miniatur, in der die Heilige der Messe beiwohnt und über eine direkte Blickverbindung zu Gott verfügt. Zwei helle Sonnenstrahlen gehen von den Händen der Jungfrau Maria und Christi hernieder und vereinigen sich, bevor sie das Auge der sitzenden Birgitta treffen, zu einem einzigen Strahl (Abb. 8). Derartige Darstellungen vermittelten gewöhnlichen Christen Zugang zu Dingen, die ihren eigenen Augen verborgen blieben.

8 Der heiligen Birgitta mystische Vision von Gott. *Revelations of St. Bridget of Sweden*, ca. 1400. Buchmalerei auf Pergament, 26,8 x 19 cm. Pierpont Morgan Library, New York, MS 498, fol. 4 verso

9 König Evelacs wundersame Visionen. *L'estoire de Saint Graal*, ca. 1316. Buchmalerei auf Pergament, 6 x 8,3 cm. British Library, London

Der erstaunte König bringt zwei Kerzen herein, um die seltsamen nächtlichen Erscheinungen besser betrachten zu können und faßt einen Diener bei der Hand, der vor Furcht ohnmächtig zu werden droht – als ob er der Engel sei, der den Apostel Johannes durch die Vision der Apokalypse führt.

Diese neue Betonung der visuellen Erfahrung beeinflußte auch die Fürstenhöfe Europas, wo Bildnisse zunehmend zu politischen Propagandazwecken und privater Ergötzung eingesetzt wurden. Die weltlichen Herrscher suchten ihre Macht innerhalb der expandierenden Territorien dadurch zu stärken, daß sie ihre Person in Statuen und Schauspielen verewigten. Der Adel griff zum komplizierten visuellen Programm der Heraldik, um auf seine Abstammung zu verweisen und wichtige Ehebündnisse zu dokumentieren. Das Leben bei Hofe vollzog sich in einer Welt voller künstlicher Erscheinungen. So kam in der höfischen Minne dem Blick ebenfalls eine zentrale Stellung zu. Gedichte und Bildnisse schildern den vom Pfeil Amors ins Auge getroffenen oder durch den Anblick seiner Schönen verzauberten Liebhaber. Anders als in religiösen Darstellungen waren in diesem weltlichen Kontext Frauen eher Objekt als Subjekt der Vision. Vor einer allzu deutlichen Unterscheidung von Betrachter und Betrachtetem gilt es sich allerdings zu hüten. Die beiden wichtigsten Formen öffentlicher Belustigung der damaligen Zeit – Mysterienspiele und Ritterturniere – machten keinen Unterschied zwischen Publikum und Darsteller.

Die Wechselwirkung zwischen Bild und Betrachter offenbart sich nicht nur in gotischen Darstellungen der Apokalypse, sondern

auch in Illustrationen zu höfischer Minnedichtung oder Ritter-
romanen. Eine prächtig illustrierte, für einen wohlhabenden flandrischen Mäzen bestimmte Zusammenstellung von Artusromanen
belegt, daß optische Wahrnehmungen darin ganz ähnlich dargestellt wurden wie bei mystischen Visionen (Abb. 9). Den Auftakt
zur geschilderten Suche nach dem heiligen Gral bildet eine
Miniatur, in der einem heidnischen König namens Evelac nachts
ein wunderschönes Kind erscheint, das in sein Schlafgemach tritt,
ohne die Tür zu öffnen. Dieser Vorgang wird mit Hilfe durch-
sichtiger Farbschichten geschickt wiedergegeben. Die geschilderte
Vision unterscheidet sich von der üblichen Darstellung von Wundern und Ungeheuern, da König Evelac plötzlich folgende Worte
vernimmt: »Evelac, so wie das Kind dein Gemach betrat, kam
Gottes Sohn in die Jungfrau Maria.« Der heidnische König wird
durch dieses Erlebnis zum Christentum bekehrt. Die Miniatur stellt
die wundersame Empfängnis der Jungfrau Maria dar, ein beliebtes,
meist symbolisch verschlüsseltes Motiv religiöser Gemälde. Profane
und religiöse Kunstwerke dürfen, dies zeigt diese Miniatur, aus
heutiger Sicht nicht gar zu streng voneinander unterschieden
werden. Die gotische Kunst kannte nämlich keine Unterscheidung
in eine weltliche und eine geistliche Sichtweise, sondern lediglich
verschiedene Stufen der Vision, die den Betrachter in eine höhere,
geistliche Ebene zu versetzen vermochten, wobei seine Sinnesorgane gewissermaßen die Trittsteine bildeten.

Sehen und Wissen

Während in Chartres und Paris eifrig an den neuen Kathedralen gebaut wurde, entstand Anfang des 13. Jahrhunderts eine neue Insti-
tution, die allmählich die Klöster als Zentren mittelalterlicher Gelehrsamkeit ablösten: die Universität. Scharenweise kamen Studen-
ten aus ganz Europa nach Paris, um die neu gegründete Lehranstalt
zu besuchen. Die neuerdings in lateinischer Fassung vorliegenden,
naturwissenschaftlichen Schriften des Aristoteles wurden, nachdem
sie anfänglich Gegenstand wissenschaftlicher Kontroversen waren,
rasch zum zentralen Inhalt des universitären Curriculums. Bezeichnenderweise wurden diese neuen städtischen Institutionen der
kirchlichen Gerichtsbarkeit unterstellt. Viele der in Paris, Oxford
und Bologna lehrenden Wissenschaftler gehörten den erst vor
kurzem aufgekommenen Predigerorden der Franziskaner und Dominikaner an. Aristoteles' Modell der Sinneswahrnehmung unterschied sich grundlegend von jenem des heiligen Augustinus oder
von jenen vier Ebenen des Richard von Saint-Victor. Der optische
war für Aristoteles der wichtigste der fünf menschlichen Sinne.
Wissen konnte seiner Auffassung nach ausschließlich durch Wahrnehmung der sichtbaren Welt erworben werden. Roger Bacon (ca.
1214-1292), ein sowohl in Oxford als auch in Paris studierender
Anhänger der aristotelischen Lehre, vertrat folgerichtig die Auffassung, daß die Wahrheit aller Dinge in deren wörtlicher Bedeutung

10 Die Madonna mit Kind in der mystischen Vision der Heiligen Birgitta. *Revelations of St. Bridget of Sweden*, ca. 1400 (Ausschnitt aus Abb. 8) . Buchmalerei auf Pergament, 26,8 x 19 cm. Pierpont Morgan Library, New York, MS 498, fol. 4 verso

11 Schaubild des menschlichen Auges aus John Peckhams *Perspectiva communis*, ca. 1320. Buchmalerei auf Pergament, ganzseitig, 18 x 11 cm. Bodleian Library, Oxford

Die vom betrachteten Objekt ausgehenden »species« oder Strahlen fallen auf die konvexe, halbkreisförmige Augenoberfläche und treffen auf die Pupille, den ersten Kreis von links, um anschließend durch die drei Kammern des Auges und entlang des rechts abgebildeten Sehnervs weiterzuwandern.

begründet liege, da der Mensch nur dasjenige vollkommen zu verstehen vermöge, was sich seinen Augen darbiete.

Auf welche Art und Weise präsentierten sich gotische Bildnisse dem Auge des zeitgenössischen Betrachters? Was die optische Wahrnehmung durch das Auge betrifft, existierten im Mittelalter zwei grundverschiedene Ansätze – die sogenannte Extromission und die Intromission. Die Verfechter der Extromissionstheorie glaubten, daß das menschliche Auge gleich einer Lampe glühende Lichtstrahlen aussende, die einen beliebigen Gegenstand buchstäblich beleuchteten und somit sichtbar machten. Diese, im wesentlichen auf Platon zurückgehende Lehre erfreute sich vor allem während des frühen Mittelalters weiter Verbreitung und ging eine enge Verbindung mit überlieferten Vorstellungen wie etwa jener von der unheilvollen Wirkung des bösen Blickes ein. Sie war jedoch nicht ganz unproblematisch. So vermochte sie beispielsweise nicht zu erklären, weshalb man, wenn das Licht tatsächlich dem menschlichen Auge und nicht irgendeiner äußeren Quelle entsprang, nicht in der Dunkelheit zu sehen vermochte. Auch das Phänomen des Nachbildes, das sich nach der Betrachtung eines hellen Objektes häufig einstellt, mußte zwangsläufig ungeklärt bleiben.

Die zweite, sogenannte Intromissionstheorie argumentierte genau umgekehrt. Nicht das menschliche Auge, sondern das betrachtete Bild sandte ihr zufolge starke Lichtstrahlen aus. Die von Aristoteles bevorzugte Vorstellung setzte sich im Lauf des 13. Jahrhunderts durch und wurde von den sogenannten »Perspektivisten« (Wissenschaftlern, die sich eingehend mit den geometrischen Grundlagen der Optik befaßt hatten) beredt verfochten. Laut der Intromissionstheorie entsandte das Objekt selbst »Bilder«, die dann mittels gerader Linien oder Strahlen in das Auge gelangten und zwar in Form einer visuellen Pyramide, deren Scheitelpunkt das menschliche Auge und deren Basis der betrachtete Gegenstand bildete. Viele mittelalterliche Darstellungen von Menschen mit Visionen betonen die rezeptive Funktionsweise des menschlichen Auges, indem sie die Lichtstrahlen vom göttlichen Objekt zum beobachtenden Subjekt laufen lassen (Abb. 10).

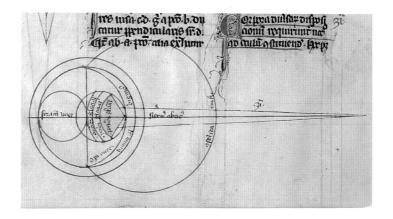

Neben Roger Bacon setzte sich auch John Peckham (ca. 1220-1292) in zwei Abhandlungen mit der Optik auseinander. Beide Gelehrte waren davon überzeugt, daß jene optischen Vorgänge, die den Gesetzen der Geometrie folgten, sich durch besondere Genauigkeit auszeichneten. Die geraden Linien, zu denen sich das Licht im Zentrum des optischen Kegels bündelte, galten als zuverlässiger als jene Strahlen, die sich beim Übergang von einem Medium zum anderen brachen und folglich eine Krümmung aufwiesen wie ein Stock, der ins Wasser getaucht wird. John Peckham war der Erzbischof von Canterbury und suchte wie viele Gelehrte des Franziskanerordens seine wissenschaftlichen Erkenntnisse zu einem tieferen Verständnis der Heiligen Schrift zu nutzen. Er befaßte sich eingehend mit der Anatomie des Auges (Abb. 11) und listete in Anlehnung an den arabischen Naturforscher Alhazen (965-ca.1040) dessen

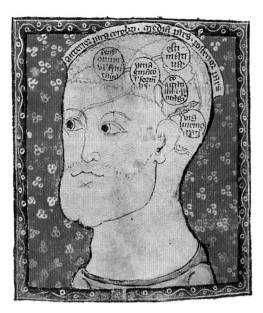

vier Häute und drei Kammern auf. Seiner Aussage zufolge spielte beim Sehvorgang der Glaskörper, den Peckham mit echtem Glas verglich und als lichtempfindlich beschrieb, die zentrale Rolle.

Der Sehvorgang vollzog sich jedoch nicht allein im Auge. Gegenstände wurden erst dann wahrgenommen, wenn die »Abbildung« im Gehirn, dem Sitz der inneren Sinnesorgane, eintraf. Dem System der fünf Kammern, wie es in einem Cambridger Diagramm aus dem frühen 14. Jahrhundert dargestellt wird (Abb. 12), liegt das Modell des arabischen Philosophen Avicenna (980-1037) zugrunde. Die sichtbare Abbildung gelangte zunächst in die im vorderen Teil des Gehirns gelegene Kammer des *sensus communis*, welche die äußere Erscheinung erfaßte. Diese wurde anschließend in der *imaginatio vel formalis* gespeichert, um in der darüber befindlichen *estimativa* ausgewertet zu werden. Weiter hinten im Gehirn lag die *imaginatio cogitativa*, die die einzelnen Bilder zu Sentenzen ordnete und einander überlagerte. Im Hinterkopf schließlich saß die *vis memorativa* zur Speicherung des Gesehenen. Dieses optische Magazin oder Gedächtnis war mit einer Klappe, dem »Wurm des Zerebellums« versehen, durch welche die Bilder herein- und wieder herausgelangten. Auf diese Lage führte man zurück, daß Menschen, die sich an etwas zu erinnern versuchen, ihr Haupt nach hinten neigten, um die im Gedächtnis gespeicherten Bilder in die beiden Kammern der *imaginatio*, der Vorstellungskraft, zu befördern. Im Mittelalter hielt man Vorgänge, die in unseren Augen weitgehend psychologischer Natur sind, für physisch und materiell bedingt.

Gepaart mit der rezeptiven Funktionsweise des menschlichen Auges beeinflußte das Intromissionsmodell nicht nur die Vorstellung der Künstler von ihrer eigenen Sehweise, sondern auch ihre Bilder und die Art, wie sie betrachtet wurden. Dieses Modell schrieb

Die Gotik in neuem Licht

nämlich sowohl dem betrachteten Gegenstand als auch dem Betrachter eine dynamische Beteiligung an der optischen Wahrnehmung zu. Etwas zu betrachten, bedeutete fortan, direkte Kenntnis über einen Gegenstand der Erscheinungswelt zu erlangen.

Diese Erörterung der optischen Abbildungsgesetze und der geometrischen Darstellung der Lichtstrahlen schlug sich auch in der künstlerischen Praxis nieder. Ein Altarbild in der Dominikanerkirche Santa Caterina zu Pisa setzt diese Diskussion malerisch um (Abb. 13). Es zeigt den Triumph des heiligen Thomas von Aquin, der von Gott mittels geometrisch dargestellter, von oben ins Bild einfallender, goldener Lichtstrahlen inspiriert wird. Auch die Bücher von Moses und des Apostel Paulus werden quer durch das Gemälde von Lichtstrahlen getroffen, ebenso wie die vier daneben befindlichen Evangelisten. Aristoteles und Platon, die – weiter unten im Bild stehend – ihre geöffneten Bücher ebenfalls wie Strahlenpistolen auf den heiligen Thomas richten, symbolisieren dessen klassische Gelehrsamkeit. In dieser Bücherschlacht gibt es jedoch auch Feinde, die es zu besiegen gilt, wie beispielsweise den arabischen Philosophen Averroës (1126-1198), der rationales Wissen über den Glauben stellte und nun besiegt am Boden liegt. Das mit der aufgeschlagenen Seite nach unten am Boden liegende Buch des Ketzers wird von einem Lichtstrahl durchbohrt. Der heilige Thomas hält ein geöffnetes Buch vor seiner Brust, das wiederum jene Laien und Geistlichen in Strahlen hüllt, die sich zu seinen Füßen scharen. Das Buch des Gelehrten ziert der Bibelspruch: »Mein Mund soll die Wahrheit sprechen, und es soll mir keine Gottlosigkeit über die Lippen kommen.« Diese Darstellung bildet das Bindeglied zwischen einer älteren, mündlichen und einer neueren, visuellen Kultur. Obwohl die Dominikaner in der Predigt das beste Mittel zur Bekämpfung der Ketzerei sahen, wird Gottes Wort im vorliegenden Fall optisch vermittelt. Das Bild ist zum Dogma und das Licht zum Symbol der Gelehrsamkeit geworden.

Der »Triumph des heiligen Thomas von Aquin« stellt den unmittelbaren Zusammenhang zwischen Sehen und Wissen dar, den der Dominikaner in seinem Hauptwerk, der *Summa Theologica*, verfochten hatte. So wie auch wir heutzutage gelegentlich den Ausdruck »Ich sehe schon« im Sinne von »Ich habe verstanden« verwenden, bezeichnete auch für Thomas von Aquin das Wort *visio* mehr als den reinen Sehvorgang. Angesichts der besonderen Eigenart und der Genauigkeit des Sehvorganges wurde der Begriff *visio* Thomas zufolge im allgemeinen Sprachgebrauch als Synonym für sämtliche Sinneswahrnehmungen, ja sogar für das Erfassen durch den Verstand verwendet, in Anlehnung an Matthäus 5,8: »Freuen dürfen sich alle, die ein reines Herz haben, denn sie werden Gott sehen.« Die Darstellung des »Triumph des heiligen Thomas von Aquin« zu Pisa war – wie die meisten gotischen Bildnisse – für die damaligen Menschen weit mehr als ein Kunstwerk. Für sie wohnte dem Bild eine eigene Kraft inne, die es damit zu einem Instrument machte, da es nicht nur die Welt widerzuspiegeln, sondern sie darüber hinaus nach Gottes Bild zu formen vermochte.

Kapitel 1

Die neue Sicht des Raumes

14 Kathedrale von Laon, Westfront, ca. 1190-1195

Im untersten Geschoß sind die drei Stützpfeiler, die das Gebäude senkrecht gliedern, durch riesige, tiefe Portalvorbauten mit Ziergiebeln verkleidet. Oberhalb sind drei weitere Öffnungen sowie eine zentrale, von zwei Lanzettfenstern flankierte Fensterrose zu sehen, deren tiefe Archivolten ebenfalls reicher Skulpturenschmuck ziert. Die dritte Etage ist durch eine Vielzahl von Bögen gekennzeichnet, aus denen die massiven, leicht nach außen gedrehten Türme mit ihren abgeschrägten Ecken erwachsen.

Mit ihren klar abgestuften Konturen wächst die Westfassade der Kathedrale von Laon aus dem steil abfallenden Hochplateau, auf dem die Kirche thront, gleich einem kühnen, nach oben offenen Bindeglied zum Himmel empor (Abb. 14). Ein halbes Jahrhundert, nachdem in der königlichen Abtei von Saint-Denis bei Paris die erste gotische Fassade errichtet worden war, kombinierten die Baumeister von Laon dieselben Elemente – drei Portale, eine zentrale Fensterrose und zwei massive Türme – zu einer überaus harmonischen und prächtigen frühgotischen Westfassade. Die 16 von den Türmen herabblickenden Ochsen erinnern mit ihren gebogenen Hörnern an eine lokale Legende, wonach sich bei der Errichtung eines Vorgängerbaus plötzlich auf wundersame Weise Ochsen zur Beförderung des Baumaterials einfanden. Daß die zarte, schwerelos anmutende Konstruktion solche Lasttiere zu tragen vermochte, deren Gewicht und störrische Eigenart jedem Bauern vertraut war, unterstrich die Dimension des Wunderbaren. Das steile Emporstreben der Kathedrale von Laon fand jedoch, wie in den meisten Fällen, ein jähes Ende, da die beiden Türme nie vollendet wurden. Ursprünglich sollte die Kathedrale nicht weniger als sieben Türme erhalten – mehr als alle anderen zeitgenössischen Kirchen –, doch wurden damals lediglich die westlichen Querschifftürme errichtet (Abb. 15). Das ehrgeizige, wenn auch unvollendete Bauvorhaben der Kathedrale von Laon vermittelt einen Eindruck dessen, was die meisten Bauherren gotischer Kathedralen anstrebten: eine neue Raumwirkung.

Der mittelalterliche Raum ist nicht mit dem abstrakten modernen Raumkonzept vergleichbar. Raum wurde als »Intervall« oder »Ausdehnung« verstanden und bezog sich auf etwas Greifbares, Faßbares und Meßbares. Die Symbole einer Kathedrale mochten noch so sehr auf das Jenseits verweisen – die sichere und gekonnte Aufteilung des Raumes versinnbildlichte die Beherrschung des Diesseits. Zwischen 1180 und 1270 wurden in Frankreich im Zuge der geographischen und politischen Expansion der Krondomäne unter König Philipp August (1180-1223), die Frankreich zum wohlhabendsten Königreich im ganzen Abendland machte, schätzungsweise rund 80 Kathedralen errichtet. Die zeitgenössische Bezeichnung für gotische Architektur lautete *opus francigenum*, »französische Bauweise« oder gelegentlich »neuer Stil«. Daß Neuartigkeit als positiv bewertet wurde, stellte ein neues Phänomen in einer Epoche dar. Neben der sogenannten neuen Dichtung, der neuen Musik und der neuen Philosophie stellte die gotische Architektur einen Bruch mit der Tradition dar.

Selbst das Äußere der gotischen Kathedralen diente der Kommunikation. Sie stellten in Stein gehauene Verheißungen dar, die vom Ruhme kommender Zeiten kündeten. Im Inneren der Kathedralen sorgte jenes Phänomen, das Abt Suger, der Erbauer des ersten gotischen Raumes, als »neues Licht« bezeichnete, für eine komplexere Raumwirkung, und zwar nicht nur in den großen Kathedralen, sondern auch in kleineren Kirchen und Kapellen. Auch in den rasch wachsenden Städten Europas spielte die gotische Kunst eine wichtige Rolle und übte nachhaltigen Einfluß auf die Errichtung öffentlicher und privater Gebäude aus.

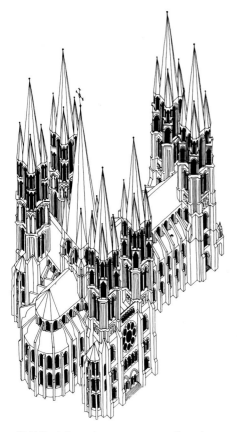

15 Kathedrale von Laon, Rekonstruktion des im späten 12. Jahrhundert geplanten Baus

Das Himmlische Jerusalem

Selbst des Lesens unkundige Menschen fühlten sich wohl angesichts der Westfassade einer gotischen Kathedrale an die Worte der apokalyptischen Vision des Johannes aus der Offenbarung 21 erinnert:

»Ich sah, wie die Heilige Stadt, das neue Jerusalem, von Gott aus dem Himmel herabkam. Sie war festlich geschmückt wie eine Braut, die auf den Bräutigam wartet..., und der Engel trug mich auf die Spitze eines sehr hohen Berges. Er zeigte mir die Heilige Stadt Jerusalem, die von Gott aus dem Himmel herabgekommen war. Sie strahlte die Herrlichkeit Gottes aus und glänzte wie kostbarer Stein, wie ein kristallklarer Jaspis. Sie war von einer sehr hohen Mauer mit zwölf Toren umgeben.«

Eine prächtige englische Apokalypsehandschrift malt diese Vision in schimmerndem Gold und leuchtenden Farben aus und reduziert den Apostel Johannes und den Engel auf Zwergengröße (Abb. 16). Diese Miniatur setzte das Bild vom Himmlischen Jerusalem besser und wörtlicher um als jede echte Kirche. Nichtsdestotrotz vermitteln die »hohe und dicke Mauer« sowie deren kristalline Wirkung gleich »reinem Gold, so durchsichtig wie Glas« und der reiche Edelsteinschmuck einen vortrefflichen Eindruck davon, wie leuchtend und bunt einst manche der inzwischen matten und verwitterten Portale der Kathedralen ausgesehen haben.

16 *Trinity College Apocalypse*, ca. 1255. Buchmalerei auf Pergament, 43 x 30,4 cm. Trinity College, Cambridge

»Und ich, Johannes, sah die heilige Stadt, das neue Jerusalem, von Gott aus dem Himmel herabfahren...« (Joh. Off. 21,2).

Angesichts der Tatsache, daß die meisten Menschen damals auf engstem Raum in dunklen Behausungen lebten, überrascht es keineswegs, daß die mittelalterlichen Menschen von der Wirkung der Kathedralen überwältigt waren. Doch die den Reichtum und die Macht der *ecclesia triumphans* verkörpernden Kirchen verlangten den einzelnen Gemeinden riesige finanzielle Opfer ab. Petrus Cantor (†1197), selbst Chorherr der Kathedrale Notre-Dame zu Paris, verspottete seine Zeitgenossen wegen ihrer übertriebenen Bauwut, deren Auswüchse er mit dem alttestamentarischen Turmbau zu Babel verglich. Die frühgotischen Kirchen der Ile de France werden oft auf die Macht und den Reichtum der kapetingischen Könige, insbesondere auf Philipp August, zurückgeführt. Viel häufiger steckten jedoch vermögende Bischöfe und Domkapitel selbst als treibende Kraft hinter den ehrgeizigen Bauvorhaben. Dies galt besonders für England. Dort ließen mächtige Bischöfe eigentümliche Alternativen zu den französischen Kathedralen errichten, die sich nicht nur in architektonischer, sondern auch in sozialer Hinsicht von den festländischen Vorbildern unterschieden. So ist beispielsweise in Salisbury und Wells der Dombezirk, dessen Mittelpunkt die Kathedrale bildete und zu dem auch die Wohnungen der Kanoniker und der Bischofspalast zählten, auffallend deutlich von der übrigen Stadt abgegrenzt. Dagegen war in Deutschland und Frankreich die geistliche Stadt stärker in die bürgerliche einbezogen.

17 Kathedrale von Wells, Westfront, 1230-1250

Die seitlich ans Langhaus angefügten Westtürme und die sich um die Kanten der Strebepfeiler herumziehenden Bögen und Vierpässe betonen die komplizierte geometrische Struktur und die Formenvielfalt dieser Architektur, die weniger als Eingang diente (das Volk betrat die Kathedrale durch eine Tür an der Nordseite) denn als Projektionsfläche für Visionen politischer und übernatürlicher Macht.

Die unter Bischof Jocelin erbaute Kathedrale von Wells weist eine ganz andere Westfassade auf als die gotischen Kathedralen Frankreichs, obgleich auch sie eindeutig Anklänge an die »vielen Wohnungen« des Himmlischen Jerusalems (Joh. 14,2) zeigt (Abb. 17). Die Baumeister der Kathedrale von Wells waren einer anderen visuellen Tradition verpflichtet, die verschiedenartige Muster einer konsequenten Logik vorzog. Anders als in Frankreich wird die Fassade nicht durch tiefe Portale betont, sondern durch lettnerartige Baldachine, unter denen sich 297 (ursprünglich 384) lebensgroße Skulpturen befinden, die ein riesiges Jüngstes Gericht darstellen. Auf der nördlichen Seite sind die thronenden Gestalten der weltlichen Wohltäter abgebildet, während die geistlichen Stifter auf der südlichen Seite als Stützpfeiler der *ecclesia triumphans* zu sehen sind. Wenn am Palmsonntag eine Prozession durch dieses Westportal in die Kathedrale einzog, wurden dessen Skulpturen durch den Gesang der himmlischen Chöre zum Leben erweckt – mit Hilfe der als Engel verkleideten Chorknaben, die durch eigens in den steinernen Engeln angebrachte Öffnungen in der unteren Vierpaßzone des Portals ihre Stimmen erklingen ließen. Gotische Architektur muß daher stets vor dem Hintergrund dieser sich ständig wandelnden liturgischen Aufführungen gesehen werden.

Die rege gotische Bautätigkeit diente teilweise der Erneuerung oder dem Wiederaufbau älterer Gebäude – 1174 brach in der Kathedrale von Canterbury, 1194 in jener von Chartres und 1211 in Reims eine verheerende Feuersbrunst aus. Aber das erste gotische Bauwerk, die vor den Toren von Paris gelegene Abteikirche von Saint-Denis (1140-1144), wurde laut Abt Suger errichtet, um dem infolge der wachsenden Pilgerscharen gestiegenen Raumbedarf Rechnung zu tragen. Der Wettstreit unter Bischöfen, Domkapiteln, ja gar unter den Städten führte dazu, daß man häufig nach einem geeigneten Vorwand für den Bau einer neuen, prachtvollen Kathedrale suchte. In Chartres überstand die dortige Reliquie, das Gewand Mariens, wie durch ein Wunder den Brand von 1194 unbeschädigt. Prompt sah man darin einen Fingerzeig der Jungfrau Maria zur Errichtung einer noch prächtigeren Kirche. Eines der vielen Buntglasfenster zeigt, wie Bewohner der Stadt der Reliquie samt der neuen, mit Silber belegten Statue Gaben darbringen (Abb. 18). Die thronende Madonna mit Kind trägt zwar romanische Züge, wird jedoch durch ihre neue Fassung und Funktion zu einem gotischen Kunstwerk. Viele große gotische Kathedralen stellten in gewissem

18 Das Bildnis als Spendenaufforderung. Die Wunder der Madonnenfenster. Kathedrale von Chartres, ca. 1220

Die an frühere Spanndienste erinnernde Szene (als das Volk vermutlich Steine herbeikarrte, um zum Bau der alten Kathedrale beizutragen) zeigt eine neuerdings den Hauptaltar zierende, Spenden erheischende Madonna und fordert den Betrachter zu großzügigen Gaben auf.

19 Kathedrale von Reims, Außenansicht des Chorhauptes mit Strebepfeilern, 1211-1241

Sinne nichts anderes als großangelegte Reliquienschreine dar. Die Marienverehrung war ein besonderer Ansporn für den Bau gotischer Gotteshäuser – Marienbilder erfreuten sich, abgesehen vom Kruzifix, der größten Verbreitung innerhalb der christlichen Kirche. Kirchen und Kapellen dienten der Aufbewahrung von Reliquien oder Statuen, zu denen scharenweise Pilger zogen. Die Gestalt der Maria, des greifbaren Bindeglieds zwischen Gott und den Menschen, symbolisierte die christliche Kirche schlechthin. So wie in dieser geometrischen Darstellung das obere der fünf Medaillons den Prototyp der im Himmel thronenden Maria zeigt, stellte die ganze Kathedrale selbst eine die himmlische Wirklichkeit symbolisierende Ikone dar.

Die nach dem Brand von 1210 neu errichtete Choranlage der Kathedrale von Reims zeigt die ganze Bandbreite der neuen baulichen Elemente: Strebebögen (gemauerte Bögen, die den Druck des Innengewölbes auf äußere Pfeiler ableiten), dünnere Wände und Maßwerkfenster lassen allesamt den Eindruck von Schwerelosigkeit und schwindelerregender Vertikalität entstehen (Abb. 19). Das Chorhaupt der Kathedrale von Reims scheint förmlich abzuheben, ein Eindruck, der durch die riesigen Engelsgestalten, die hoch oben in den durchbrochenen Nischen der mit Fialen verzierten Stützpfeiler des Chorhauptes thronen, noch verstärkt wird. Furchterregende Fabelwesen, die sogenannten Chimären, lauern von der Blendarkade herab. Unterhalb, zwischen den mit Maßwerk verzierten Chorfenstern, stehen weitere lebensgroße Engelsgestalten. Dieser reiche Skulpturenschmuck weist darauf hin, daß der östliche Teil des Baukörpers den heiligsten und wichtigsten Raum der Kathedrale birgt (Abb. 20).

Die Errichtung eines derart herrlichen Abbildes des Himmlischen Jerusalems verlangte den Bewohnern der irdischen Stadt gewaltige Opfer ab. So wurde der Bau der Kathedrale von Reims durch hohe Abgaben finanziert. Die Domgeistlichen stellten jenen, die sich an den Baukosten beteiligten, Ablässe in Aussicht. Dieser Ablaßhandel war Bestandteil einer aggressiven, die Bürger zunehmend befremdenden Finanzierungskampagne. Als 1233 die aufgebrachten Stadtbewohner den Bischofspalast stürmten und sowohl der Bischof als auch das Domkapitel die Flucht ergriffen, kamen die Bauarbeiten zum Erliegen. Der Papst belegte die Stadt daraufhin

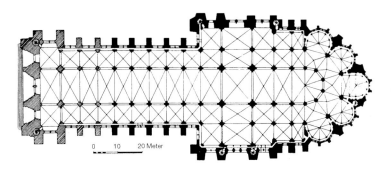

0   10   20 Meter

20 Grundriß der Kathedrale von Reims

21 Kathedrale von Reims, Atlasfigur, vor 1233 (ursprünglicher Standort: nördlicher Lichtgaden des Chores)

mit einem Interdikt, und der französische König ging mit größter Härte gegen die Rebellen vor, so daß sich die Fertigstellung des Chores weiter verzögerte und dieser erst 1241 geweiht werden konnte. Die Kathedralen standen keineswegs immer für vollkommene gesellschaftliche Harmonie, wie heute bisweilen behauptet wird. Im Gegenteil, die ruhmreiche Vision der einen konnte zum Instrument der Unterdrückung anderer werden. Während die Kanoniker in den Aufbauten und Fialen des neuen Chores die Verwirklichung ihrer geistlichen Wunschvorstellungen gesehen haben mögen, bedeutete dieser gesamte östliche Bauteil für jene Bürger, deren Häuser niedergebrannt und deren nahegelegene Besitzungen beschlagnahmt wurden, wohl eher den Triumph der Tyrannei. Die zwischen den Maßwerkfenstern des Chores stehenden Engelsgestalten scheinen die ätherisch anmutende Steinkonstruktion mühelos zu tragen, wohingegen die Atlanten, auf denen weiter oben das enorme Gewicht der riesigen Steinblöcke lastet, laut Papst Innozenz IV. beinahe »unter den unerträglichen Schulden« zusammenbrechen, für welche die Stadt aufkommen mußte (Abb. 21).

Wenn wir an die gotische Architektur des 13. Jahrhunderts denken, sind wir so sehr auf die riesigen Ausmaße der großen Kathedralen fixiert, daß wir ganz vergessen, daß es auch kleinere, prägende gotische Kirchen gab. Ein gutes Beispiel hierfür ist die Kirche St. Urbain in Troyes, die Papst Urban IV. (1261-1264) an jener Stelle errichten ließ, an der einst die Flickschusterwerkstatt seines Vaters gestanden hatte (Abb. 22). Diese schmucke kleine Kirche setzte jene architektonische Formensprache, die ein halbes Jahrhundert zuvor in Reims zur Darstellung der bischöflichen Macht entwickelt worden war – Strebebögen, Maßwerkfenster und mit Kriechblumen, Knospen oder geschwungenen Blättern verzierte Fialen – zu verspielteren Zwecken ein. Das Äußere der Kirche wirkt, als sei es in dünne, senkrechte Steinsplitter aufgeteilt, so daß sämtliche Elemente –Stützpfeiler, Fenster und Ziergiebel – von der Wand losgelöst scheinen. Manche Teile des Maßwerks sind nicht verglast, nicht das geringste Gewicht lastet auf seinen Rippen, an manchen Stellen befindet sich gar keine Mauer, sondern nur bloße Luft. Jeder sorgsam bearbeitete Winkel dieser heiteren gotischen Phantasie, deren launenhafte Schwerelosigkeit sich im Inneren fortsetzt, entspricht so gar nicht jener scholastischen Logik, die unserer Auffassung nach den gotischen Bauwerken Frankreichs zugrundeliegt. Hier zeigt sich, welche große Bedeutung der Vorstellungskraft, der Fähigkeit zum ›Luftschlösser bauen‹ zukommt, die nach Ansicht der Experten die entscheidende Voraussetzung für das künstlerische Schaffen darstellt.

Die Geschichte der gotischen Architektur wird häufig in Phasen untergliedert. Jene ersten Belege gotischer Architektur, die etwa zwischen 1140 und 1200 (als im übrigen Europa noch die Romanik

Gegenüberliegende Seite:
22 Die Kirche St. Urbain zu Troyes, Baubeginn 1262. Blick von Südosten

23 Straßburger Münster,
Entwürfe für die Westfront

Links ist Plan A, ca. 1260-
1270, rechts Plan B, ca. 1270,
zu sehen. Letzterer ist
detaillierter ausgearbeitet und
entspricht mit seinen vielen
Fialen und Türmen eher der
heutigen Fassade.

vorherrschte) in der unmittelbaren Umgebung von Paris entstanden, werden meist als Frühgotik bezeichnet. Zur darauffolgenden
Phase der Hochgotik werden die in den Jahren 1200 bis 1260
errichteten Bauwerke, einschließlich der großen Kathedralen von
Chartres, Reims und Amiens, gerechnet. Die Kirche St. Urbain in
Troyes gilt für gewöhnlich als typisches Beispiel der nächsten Phase
des etwas verspielten Style Rayonnant. Auch diese Phase ging von
Paris aus und entwickelte zwischen 1260 und 1300 mehr lineare,
transparente Effekte. In mancherlei Hinsicht nimmt St. Urbain in
seiner großen Mannigfaltigkeit jedoch bereits die Spätphase der
Gotik, den Style Flamboyant der zweiten Hälfte des 15. Jahrhunderts vorweg. Die englische Gotik scheint eine eigene Entwicklung genommen zu haben: angefangen bei der deutlich andersar-
tigen Frühgotik des Early English über die zutreffend als Decorated
Style bezeichnete, mittlere Phase zwischen 1250 und 1340 bis hin
zur Spätphase des Perpendicular Style in der Mitte des 14. Jahrhunderts.

Anders als die modernen Architekten konzipierten die gotischen
Baumeister ihre Vorhaben nicht anhand von Grund- und Aufrissen.
Aus gotischer Zeit sind nur ganz wenige Bauzeichnungen erhalten.
In Soissons und Reims hat man auf einzelnen Steinen eingeritzte
Skizzen entdeckt, die darauf hindeuten, daß die Planer der
Kathedralen ihr Konzept weniger auf Papier oder Pergament als
vielmehr vor Ort, auf der Baustelle, erarbeiteten. Sobald das erste
Joch stand, diente es als Muster für die Errichtung der übrigen

24 Straßburger Münster, Zeichnung von der Westfassade. Tusche auf Pergament, ca. 4 m lang.

Die sich über sechs aneinandergeklebte Pergamentbögen erstreckende Zeichnung könnte das Werk mehrerer Künstler sein. Es ist durchaus denkbar, daß derartige Zeichnungen auch bei der Anfertigung von metallenen Schreinen oder Altareinfassungen herangezogen und über mehrere Künstlergenerationen hinweg verwendet wurden. Diese Vielseitigkeit der Vorlagen bildete eine grundlegende Voraussetzung für die rasche Ausbreitung gotischer Kunst in ganz Europa.

Joche, so daß nur jene Bauabschnitte, die – wie die Westfassade – über einen längeren Zeitraum hinweg errichtet wurden oder die nicht von früheren Beispielen abgeleitet werden konnten, eine sorgfältige, detaillierte Planung erforderten. Von der Westfassade des Straßburger Münsters, die um 1277 von deutschen Baumeistern nach französischen Vorbildern im Style Rayonnant errichtet wurde, ist eine bemerkenswerte Serie von zeitlich gestaffelten Skizzen erhalten. Bei letzteren handelt es sich vermutlich eher um verschiedene Vorschläge, die dem Bauherren zur Auswahl vorgelegt wurden, als um Bauvorlagen (Abb. 23). Aus Straßburg ist noch eine weitere Detailzeichnung überliefert: eine Skizze aus der zweiten Hälfte des 14. Jahrhunderts. Sie wird mit der berühmten mitteleuropäischen Steinmetzfamilie der Parler in Verbindung gebracht. Die teilweise in zarten Farben gehaltene Skizze stellt keine funktionale »Bauzeichnung« dar, sondern gibt den jeweiligen Standort der einzelnen Nischenfiguren an (Abb. 24). Bildhauer und Baumeister mußten Hand in Hand arbeiten (häufig waren sie beides in einer Person, wie im Falle der Familie Parler). Ebenso wie jedes Stück Gewölberippe oder Maßwerk ganz genau nach Maß gearbeitet wurde, wurden auch aufwendigere Skulpturen zunächst unten in der Werkstatt angefertigt und anschließend an ihren Standort emporgehievt. Der Bildhauer mußte die objektiven Proportionen dem subjektiven Blickwinkel des wesentlich tiefer stehenden Betrachters anpassen. Um diesen steilen Blickwinkel auszugleichen, erhielten die Skulpturen oft recht grobe Züge und regelrecht verzerrte Glieder. Der südliche Turm des Straßburger Münsters wurde zwar nie vollendet, doch die Statuen der Königsgalerie an der Westfassade der Kathedrale von Amiens und die hoch oben am Äußeren der Kathedrale von Reims angebrachten Statuen lassen darauf schließen, daß den gotischen Bildhauern – lange vor der Renaissance – das Problem des Standpunkts bzw. Blickwinkels vertraut war.

Wie die Jungfrau Maria und die Apostel der untersten Skulpturenreihe in der Straßburger Skizze wurden die meisten gotischen Figuren in einen architektonischen Rahmen gestellt. Der Spitzbogen als charakteristisches Element der gotischen Architektur sowie dessen dreidimensionale Variante des Baldachins vermittelten ein Gefühl der Sicherheit. Dieser architektonische Rahmen brachte die darin befindliche Skulptur besser zur Geltung und ist hierin dem Rahmen moderner Gemälde vergleichbar. Darüber hinaus half er

25 Dreiturmreliquiar, 1370-
1390.
Ziseliertes und vergoldetes
Silber, Emaille und Edelsteine,
93,5 cm hoch. Aachener
Domschatz

Während man in romanischer
Zeit die verehrten Heiligtümer
im schützenden Inneren von
Brustreliquiaren oder
Schreinen mit Kirchenarchi-
tektur verwahrte, dienten
gotische Reliquienbehältnisse
der gezielten Präsentation der
kostbarsten Gegenstände
damaliger Zeit. Das Dreiturmreliquiar vermittelt gleichzeitig
einen Eindruck von der
schwindelerregenden Vertikalität, welche jene gotischen
Künstler anstrebten, die über
solch wertvollen Überresten
Kirchen und Kapellen
errichteten.

Gegenüberliegende Seite:
26 Kathedrale von
Gloucester. Grabmal König
Eduards II., ca. 1330 ff.
Alabaster und Stein

dem Betrachter, seine Position in bezug auf die eingerahmte Darstellung zu definieren. Nur äußerst selten findet man in der
gotischen Kunst vollkommen isolierte, freistehende Figuren, die
nicht von einem Baldachin bekrönt werden – dies trifft lediglich auf
die weit über den Baukörper hinausragenden, mit furchterregenden
Fratzen verzierten Wasserspeier zu. Ihre räumliche Isolierung
symbolisiert einerseits die Vertreibung alles Gottlosen aus der
Kirche und verweist andererseits auf ihre Funktion als Regenrinnen.
Der architektonische Rahmen diente somit nicht nur zur Einfassung und zum Schutz der darin befindlichen Skulptur, sondern
bezog sie gleichzeitig, so lebendig und naturgetreu sie auch wirken
mochte, in eine ewige, kirchliche Ordnung ein.

Rahmen in Form von Spitzbögen begegnete man nahezu in der
ganzen Kirche – an Altarschranken, Lettnern, Grabmälern, und
Bischofsstühlen. Das verwendete Material hierzu war unterschiedlicher Art, es reichte von Marmor bis zu Eichenholz. Alles war der
schwindelerregenden Vertikalität von Fialen und Spitzen unterge-
ordnet. Die Goldschmiedekunst legte, vor allem im Frankreich des
Style Rayonnant und im England des Decorated Style, die Grundlagen für diese immer kunstvoller gestalteten, dreidimensionalen

Rahmen. Das vermutlich in Flandern angefertigte und im Dom-schatz zu Aachen verwahrte Dreiturmreliquiar kehrt in geradezu avantgardistischer Manier das Verhältnis zwischen Innerem und Äußerem in der gotischen Kunst um: Die Reliquien werden außerhalb des architektonisch gegliederten Schreines verwahrt, während sich die Statuen innen befinden (Abb. 25). Gleichzeitig als Turmspitzen fungierende, durchsichtige Röhren aus Bergkristall enthalten Teile vom Fellgewand Johannes des Täufers, von Christi Schweißtuch aus der Kreuzigungszene und von der Rute, mit der Christus gegeißelt wurde, sowie ein Stück einer Rippe des heiligen Stephan. Sämtliche Reliquien sind durch Inschriften gekenn-zeichnet. Im Inneren des Reliquiars stehen drei prächtig gearbeitete Figuren, die Johannes den Täufer, Christus sowie einen Stifter im Gewand eines Diakons verkörpern, der andächtig vor dem im Mittelpunkt des Gebäudes stehenden Erlöser kniet. Somit mutet der Aufbau des Reliquiars wie die Darstellung einer Vision an. Fromme Pilger, die vor berühmten Reliquienschreinen wie jenem des heiliggesprochenen Thomas Becket in Canterbury, des heiligen Jakob in Santiago de Compostela und der Heiligen Drei Könige in Köln knieten, mochten in mystischen Visionen den ganzen, un-versehrten Körper jener Heiligen erblicken, deren fragmentarische Überbleibsel das Ziel ihrer Wallfahrt bildeten.

Baldachine, mit Kriechblumen verzierte Spitzen und filigran gearbeitete Fialen dienten der Darstellung des Himmlischen Jerusa-lems – unabhängig davon, ob sie architektonisch gegliederte Reliquiare oder den Baukörper einer Kirche schmückten. Eduards II. Grabmal in Gloucester umrahmt dessen Alabasterbildnis mit phantastischen Fialen und Eselsrückenbögen (Bögen, die durch über zwei s-förmige, im Scheitelpunkt zusammentreffende Schenkel gekennzeichnet sind; Abb. 26). Der Körper des abgesetzten, bei seiner Ermordung übel zugerichteten Monarchen wirkt ruhig, intakt und unversehrt. Die schreinartige Einfassung verleiht ihm gewisser-maßen die Aura einer heiligen Reliquie.

Gotische Kunst war von Anfang an mehr als bloße Architektur. Gewiß strebten gerade die Kirchenbaumeister als erste eine irdische Wiedergabe der himmlischen Welt an, doch war dazu das Zu-sammenwirken sämtlicher Kunstgattungen in einer Art ›Multi-media-Komposition‹ erforderlich. Abt Suger von Saint-Denis pries in seinen Schriften die gelungene Kombination von Architektur, Skulptur, Glasmalerei, Goldschmiedekunst und Malerei. Gotische Kunst schuf einen kompletten Raum, dessen erhabene Wirkung der Abt mit einer »seltsamen Region des Weltalls« verglich, »die weder ganz in dem Schlamm der Erde existiert noch in der Reinheit des Himmels« (Liber de administratione XXXIII). Abt Suger war nicht nur über die steil himmelwärts strebende Architektur des neuen Chores entzückt, sondern auch über die schimmernden Edelsteine des Hochaltares und die farbenprächtigen Glasmalereien der Fenster.

Himmlisches Licht

Selbst an einem hellen, sonnigen Morgen ist man beim Betreten der Kathedrale von Chartres förmlich von der Düsterkeit des Raumes überwältigt. Erst allmählich gewahrt man die leuchtenden, in Blau und Rot gehaltenen Glasfenster, die wie die Vision jener anderen Welt, »geschmückt mit allerlei Edelgestein« (Offenbarung 21,19; Abb. 27) anmuten. Die Buntglastechnik war zwar schon seit langem bekannt, erhielt jedoch im Zuge des Umbaus im 13. Jahrhundert neuen Auftrieb. Man entfernte die Galerie bzw. Tribüne, leitete den Schub der Mauern auf Strebebögen ab, vergrößerte die Fenster des Lichtgadens und schuf somit einen großartigen Rahmen, der die neuen Glasmalereien hervorragend zur Geltung brachte.

27 Kathedrale von Chartres, Innenansicht der Fensterrose und Lanzettfenster des nördlichen Querhauses, ca. 1220

Inmitten der Fensterrose thront die in dunklen Farben dargestellte Jungfrau Maria, von Tauben und Engeln umgeben. Die Figuren der unterhalb befindlichen fünf großartigen Lanzettfenster, in denen jedes einzelne Glasstückchen von einem Bleisteg eingefaßt ist, wurden mit großen Flächen hinterlegt, damit sie auch aus der Ferne noch zu erkennen sind. Die riesigen Propheten sowie die Heilige Anne und die Jungfrau Maria in der Mitte heben sich allesamt vor einem breiten roten, blauen oder grünen Hintergrund ab. Die Dynastie der Kapetinger ließ ihre Genealogie einarbeiten: Die Eckzwickel zeigen das heraldische Emblem der bourbonischen Lilie sowie – gegen rote Flächen abgesetzt – Burgen der Stifterin und französischen Königin Blanka von Kastilien, der Mutter Ludwigs IX.

Inmitten der Fensterrose im nördlichen Querschiff thront eine strahlend schöne Madonna mit dem Jesuskind auf dem Schoß. Maria ist das Fenster, die *porta coelis*, durch welche Christus, das Licht der Welt, zur Erde herabstieg. Wie alle frühen Glasmalereien besticht dieses Fenster jedoch weniger durch die Transparenz des Werkstoffes als durch die kräftige Farbigkeit der rubinroten und saphirblauen Flächen. Die Fensterrose scheint nicht nur das Tageslicht zu brechen, sondern vielmehr wie ein Edelstein aus eigener Kraft zu leuchten. Glasmalerei wurde häufig mit den intensiven Farben von Juwelen verglichen, denen Abt Suger »heilige Kräfte« zuschrieb. Die reinste Form des Lichtes, jenes, das die Mystiker in ihren Visionen gewahrten, galt als Ausfluß der göttlichen Gnade. Zur Beschreibung der materiellen Beschaffenheit des Lichtes stand ein reichhaltiges lateinisches Vokabular zur Verfügung. Mit *lux* wurden die Lichtquellen der Planeten wie beispielsweise der Sonne bezeichnet. Im Raum vervielfachtes Licht hieß *lumen* und von Gegenständen reflektiertes Licht *splendor*. Abt Sugers Beschreibung des erweiterten Oberchores als vom »neuen Licht (*lux nova*) durchdrungen« impliziert, daß die neuen Glasfenster Licht sichtbar zu machen vermögen. Während allzu Leuchtendes auf den Menschen des 20. Jahrhunderts häufig kitschig und abstoßend wirkt, waren die mittelalterlichen Betrachter von dieser hellen Leuchtkraft fasziniert.

Gotische Kunst wird immer wieder mit der Metaphysik des Lichtes in Zusammenhang gebracht, insbesondere mit den theologischen Schriften des Pseudo-Dionysius Areopagita, eines christlichen Mystikers aus dem 5. Jahrhundert, dessen Vorstellung von Gott als einem »unfaßbaren und unerreichbaren Licht« im 12. Jahrhundert wieder aufgegriffen wurde. Dies gilt vor allem für Abt Suger, der diesen frühchristlichen Mystiker in seinen Abhandlungen mit dem heiligen Dionysius, dem Schutzpatron der königlichen Abtei Saint-Denis, zu verbinden trachtete. Im Laufe des gotischen Zeitalters machte die sogenannte »Ästhetik« des Lichtes jedoch manch tiefgreifenden Wandel durch. Die kaum durchscheinenden, fast dunklen Fenster von Chartres verkörpern das von Abt Suger beschriebene Mysterium, während die Buntglasarbeiten des späteren 13. Jahrhunderts weitaus mehr Tageslicht in den Raum eindringen lassen. Diese späteren Fenster wirken demzufolge weniger wie Mosaike aus kostbaren Edelsteinen, sondern scheinen mit ihren großen, lichtdurchlässigen Flächen die Mauern förmlich aufzulösen. Parallel dazu änderte sich der Zeitgeschmack: Während die Perspektivisten unter den Philosophen die Brechung des Lichtes in den Augenkammern zu ergründen suchten, begann man sich für die optischen Eigenschaften stark transparenter Steine wie Kristalle und Diamanten zu begeistern. Das Bestreben, den Raum durch stärkeren Lichteinfall besser sichtbar zu machen, schlug sich auch in den neuen Techniken der ab ungefähr 1300 verstärkt Silber verwendenden Glasmalerei nieder. In späteren gotischen Glasfenstern spielte der weiße Farbton eine große Rolle.

Diese zunehmend ätherische Lichtqualität zeigte sich auch in anderen Medien wie beispielsweise in Emailarbeiten und Minia-

Gegenüberliegende Seite:
28 *Die Erschaffung des Lichtes und der Erde.* Stundenbuch, ca. 1340-1350. Buchmalerei auf Pergament, 17 x 10,5 cm. British Library, London

Im Gegensatz zu der vorhergehenden Abbildung ist hier der Mittelpunkt des Universums, in dem sich die Erde befindet, in dunklen, tiefen Farbtönen gehalten, während von außen das göttliche Licht in den eben erschaffenen Kosmos eindringt.

turen, in denen die kräftigen Blau- und Rottöne des 13. Jahrhunderts allmählich durch transparentere, hellere Farbschichten abgelöst wurden. Eine die Erschaffung des Lichtes darstellende Miniatur aus einem englischen Stundenbuch kündet – sowohl bezüglich der Themenwahl als der Darstellung des gewählten Motivs – ebenfalls von dieser Hinwendung zu mehr Transparenz. Von der inmitten einer Schar leuchtendweißer Engelsgestalten stehenden Figur des Schöpfers gehen kräftige Lichtstrahlen aus (Abb. 28). Robert Grosseteste (ca. 1168-1253), Bischof von Lincoln, der die Elemente der neuplatonischen Lichtmetaphysik mit aristotelischen Beobachtungen zu dessen Übertragung kombinierte, brachte die Erschaffung des Lichts in seiner Abhandlung – wie in der oben beschrie-

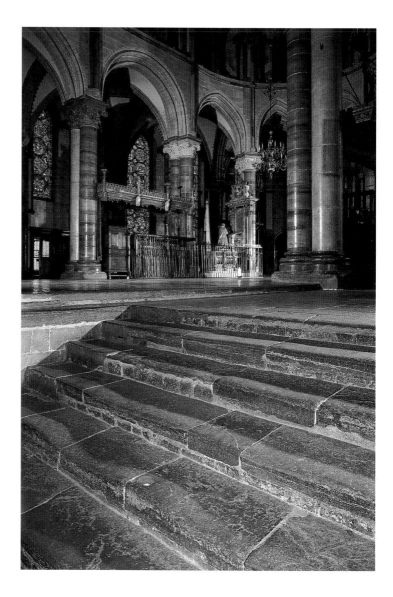

29 Kathedrale von Canterbury, südliches Seitenschiff mit Blick empor zur Trinity Chapel, ca. 1220. Die zur Kultstätte führenden Stufen sind von den Füßen und Knien der zahlreichen Pilger ausgetreten.

benen Miniatur – ebenfalls mit der Erschaffung der Engel in Zusammenhang. Mittelalterliche Künstler dachten wie mittelalterliche Philosophen in dialektischen Kontrasten. Der Erschaffung reinsten Lichtes steht die finstere Ketzerei und Gottlosigkeit gegenüber. Die rebellierenden Engel stürzen in die Dunkelheit und werden immer unförmiger, je weiter sie sich vom Licht entfernen. In der Bildmitte sind die sich drehenden Sphären des mittelalterlichen Kosmos zu sehen, deren fester Mittelpunkt die Erde darstellt, die von den übrigen drei Elementen Wasser, Luft und Feuer umgeben ist. Am unteren Bildrand liegt Satan gefesselt in der dunklen Hölle. Die Besitzerin dieses kleinen Stundenbuchs verfügte hiermit – selbst wenn sie keine theologischen oder metaphysischen Kenntnisse besaß – über eine Einführung in die mittelalterliche Sehweise und Lichtsymbolik. Helles Licht verkörperte das Göttliche und Erhabene, Dunkelheit hingegen die Basis. Jedes Element besaß eine spezifische Farbe, jede Sphäre ihren angestammten Platz.

Für die meisten mittelalterlichen Betrachter gotischer Kunst stellte Licht jedoch noch etwas viel Greifbareres dar. Die neue Architektur der Kathedrale von Canterbury trug zu einem neuen, beeindruckenden Raumerlebnis der Pilger bei. Von einem dunklen Kultort in der Krypta wurden sie zum Licht emporgeleitet: zu den zwei Ebenen höhergelegenen, in der neuen Trinitätskapelle verwahrten Reliquien des heiligen Thomas Becket (1118-1170). Von dem 1220 gefertigten, glänzenden Metallschrein ist nur noch der Sockel erhalten, der Rest wurde 1538 durch König Heinrich VIII. zerstört. Die Augen der riesigen Pilgerscharen haben keine sichtbaren Spuren hinterlassen – während die ausgetretenen Stufen deutlich belegen, daß hier jahrhundertelang unzählige Pilger auf Knien hinaufrutschten (Abb. 29). Man kann sich jedoch gut vorstellen, wie sich die weitaufgerissenen Augen der Pilger nach der Dunkelheit der tiefergelegenen Krypta an die Helligkeit dieses Raumes anzupassen suchten. Die Buntglasfenster waren – ebenso wie die kunstvoll gestalteten Säulen aus Purbeck-Marmor im Ostteil der Kathedrale – Bestandteil einer sorgfältig angelegten, durch die gesamte Kirche führenden Pilgerstraße. Sie künden von jenen Wundern, die sich an diesem heiligen Ort zugetragen haben: Lahme konnten plötzlich wieder gehen, und Wahnsinnige wurden dank des Eingreifens des unlängst den Märtyrertod gestorbenen Heiligen wieder gesund. So dienten die knienden und am Boden liegenden Gestalten jenen Pilgern, die ihrerseits auf ein erneutes Wunder hofften, buchstäblich als Vorbilder. Die Kathedrale von Canterbury zeigt die für große englische Kirchen typische Aneinanderreihung verschiedener Baustile: Die Krypta ist romanisch, auf ein spätgotisches, im Perpendicular Style errichtetes Schiff folgt ein frühgotischer Chor in der Manier des Early English mit einer hufeisenförmigen Erweiterung in Form der Trinity Chapel, der Dreifaltigkeitskapelle, an die sich die kleine Kapelle der sogenannten »Becket's crown« anschließt. Durch den Heiligenkult wurde diese ganze Reihe unterschiedlicher Bauteile jedoch zu einem einheitlichen visuellen Ganzen verbunden.

30 Sainte-Chapelle in Paris,
Oberkapelle, 1241-1248

Der König pflegte der Messe
in einer südlich angebrachten
Loge, rechts von jenem Baldachin beizuwohnen, unter
dem die kostbaren Reliquien
zur Schau gestellt wurden (die
während der Französischen
Revolution verlorengingen).
Die Glasfenster gegenüber
der Loge zeigen Szenen aus
dem Buch der Könige. Die
Königin blickte auf bedeutende Frauengestalten aus
dem Alten Testament wie
beispielsweise Esther. Der
Blickwinkel dieser Aufnahme
unterstreicht die schimmern-
de Lichtdurchlässigkeit des
Innenraums. Die einzelnen
Elemente der Glasfenster sind
von hier aus kaum zu erkennen und zu identifizieren.

König Ludwig IX. von Frankreich ließ innerhalb des Pariser
Königspalastes auf der Ile de la Cité ein eigenes, gigantisches
Reliquiar, die Sainte-Chapelle, zur Aufbewahrung der Leidenswerkzeuge der Passion Christi – u.a. der Dornenkrone, die er von
dem Lateinischen Kaiser von Byzanz erworben hatte – errichten
(Abb. 30). Maurer, Bildhauer und Maler schufen mit der oberen
Kapelle einen Raum, der das einfallende Tageslicht wie ein kunstvoll geschliffener Diamant reflektiert. Die leuchtenden Buntglasfenster, die vergoldeten Statuen der zwölf Apostel an den Pfeilern und
die auf sehr lichtdurchlässigen, gläsernen und silbernen Untergrund
aufgemalten narrativen Medaillons vermitteln dem heutigen Betrachter einen Einblick in die einstige Farbenpracht gotischer
Innenräume, die in der Folgezeit aufgrund des sich wandelnden
Geschmacks meist abgeschwächt wurde. König Ludwig IX., der auf
dem 7. Kreuzzug umkam, wollte Paris zu einem *locus sanctus*, einem
neuen heiligen Mittelpunkt der Christenheit machen. Die prächtige
Ausgestaltung der Sainte-Chapelle schuf nicht nur einen glanzvol-
len Rahmen für die Aufbewahrung der heiligen Reliquien, sondern
unterstrich auch die Macht des kapetingischen Königshauses.

60 Jahre später kombinierte der italienische Maler Giotto di
Bondone in viel kleinerem Maßstab in einer Privatkapelle ebenfalls
verschiedene künstlerische Werkstoffe. Er wollte allerdings den
Betrachter nicht in eine himmlische Sphäre versetzen, sondern das
Göttliche auf die Ebene des Betrachters herunterholen (Abb. 31).

Die Arena-Kapelle enthält eine Serie von 36 Szenen aus dem Leben Christi und der Jungfrau Maria, deren vorgetäuschter architektonischer Rahmen den Betrachter in die Mitte der Kapelle treten läßt. In einem gotischen Innenraum wie jenem der Sainte-Chapelle bewegt sich der Betrachter unablässig von der Stelle, um die unterschiedliche Brechung des Lichtes zu beobachten, als wenn man einen Edelstein langsam dreht. In der Arena-Kapelle dagegen gibt es einen optimalen Standpunkt, von dem aus die Szenen aus den Heiligenleben systematisch betrachtet werden können. Auch beruhte die Lichtwirkung nicht auf reflektierendem Gold, Edelsteinen oder halbdurchsichtigen Werkstoffen, sondern wurde durch die Malerei hervorgerufen. In Italien erfolgte die Definition des Raumes nach wie vor durch Freskenmalerei, gegen die sich die Buntglastechnik nicht durchzusetzen vermochte. Der Grund war das italienische Licht: Die heiße Sonne des Südens erforderte ausgedehnte Mauerflächen, damit das Innere angenehm kühl blieb. Giottos Darstellung des Lichts galt nicht dem göttlichen *lux*, wie es von kostbaren Edelsteinen und Buntglas ausging, sondern der stofflichen Wirkung des *lumen*, das seine gemalten Gestalten widerspiegelten.

Dieses Interesse an der Wiedergabe des natürlichen Lichtes verdeutlichen auch die illusionistischen Kapellen, die Giotto zu beiden Seiten des Altares aufmalte. Es handelt sich um einen imaginären gotischen Raum. Erhellt wird dieser von einem Lanzettfenster, dessen hohe, schmale Öffnung in einem Spitzbogen endet, sowie von einer vom Scheitelpunkt des Gewölbes herabhängenden, schmiedeeisernen Laterne. Wie schon erläutert, wurde das in die Kirche einfallende Licht häufig mit der Jungfrau Maria assoziiert, deren Lebensgeschichte ringsum an den Wänden erzählt wird. Das dargestellte Gewölbe kann daher als Sinnbild des reinen und verschlossenen Körpers der Jungfrau Maria, des *hortus conclusus*, und der Heiligkeit der Kirche gedeutet werden. Der Raum ist nie das, was er zu sein scheint – dies trifft selbst auf einen so hervorragenden Raumgestalter wie Giotto zu. In der Arena-Kapelle erweist sich Giotto genau an jenem Punkt, da seine Werke in anderer Hinsicht oft zukunftsweisend sind, als eindeutig der gotischen Tradition verhaftet. Boccaccio bezeichnete Giotto als denjenigen Künstler, der »das Licht wieder in die Kunst zurückbrachte« (*Decamerone* VI, 5), doch muß man dieses Licht mit den Augen jenes Mannes sehen, für den die Kapelle errichtet wurde: Enrico Scrovegni war ein vermögender Handelsmann und Sohn eines berüchtigten Wucherers. Die Ikonographie dieser Gemälde wird häufig damit erklärt, daß Enrico Scrovegni offensichtlich das Bedürfnis verspürte, in Szenen wie »Der Verrat des Judas«, wo der dunkle Teufel mit Geld gleichgesetzt wird, die Schandtaten seines Vaters wiedergutzumachen. Die einheitliche Raum- und Lichtwirkung kann allerdings auch als Indiz seiner besitzorientierten Auffassung von Raum als Privateigentum, nicht als Symbol, gewertet werden. Schließlich stellen die leeren Kapellen mit ihren massiven Abschrankungen nicht nur heilige Symbole dar, sondern gleichzeitig in die Mauern eingelassene Tresore.

Während Giottos Lichtführung in der Arena-Kapelle neue Entwicklungen einzuleiten scheint, verweisen die Lichtverhältnisse in der von Kaiser Karl IV. (1355-1378) errichteten Kreuzkapelle von Schloß Karlstein bei Prag auf ältere Vorbilder (Abb. 32). Giottos Kapelle scheint sich dem Tageslicht zu öffnen, die Kreuzkapelle gleicht einer mit Edelsteinen besetzten Grotte. Das Kreuzgewölbe der Kapelle ist mit vergoldeten venezianischen Glasscheiben in Form von Sonne, Mond und Sternen belegt, den unteren Teil der Wände bedeckt ein breiter Marmorstreifen mit inkrustierten Halbedelsteinen. Darüber befindet sich eine Galerie mit 30 ikonenartigen Heiligendarstellungen von Meister Theoderich von Prag. Sie drohen ihre Rahmen zu sprengen und – mit ihren feisten Händen kunstvoll geschnitzte Schilde und massiv bossierte Bücher umklammernd – zum Betrachter herabzusteigen. Während Giotto in seinen Gemälden dreidimensionale Effekte andeutet, durchbricht Meister Theoderich die illusionistische Bildoberfläche fortwährend durch reale Gegenstände, die er wie in einer modernen Collage auf die Bildoberfläche heftet oder nagelt. Manche Forschungen vermuten in der ›Multimedia-*splendor*‹ dieser Kapelle und in Karls IV.

32 Schloß Karlstein, Kreuzkapelle, ca. 1365

angrenzendem Privatoratorium in Karlstein ein Symbol dafür, daß der Kaiser sich in einer Vision als neuer Konstantin sah. Vielleicht suchte er mit Hilfe gotischer Darstellungsmittel vermeintliche byzantinische Anklänge zu schaffen. Fest steht, daß nirgendwo sonst in Europa der klaustrophobe Reichtum der religiös untermauerten politischen Macht derart offenkundig wird.

Wohl brachten die Zisterzienser als erste die gotische Architektur nach Italien. Doch eine neue Raumkonzeption enstand erst mit dem Auftauchen der Bettelorden der Franziskaner und Dominikaner, deren Kirchen auf weit größere Menschenmengen zugeschnitten waren als bisher und demzufolge eine völlig andere Bauweise nötig machten. Die Kirchen öffneten sich nun dem Licht und neuartigen Bildnissen. Die Schiffe dieser gotischen Kirchen wirkten im Gegensatz zu jenen nördlich der Alpen vergleichsweise einfach. Sie dienten hauptsächlich Predigtzwecken und waren so gebaut, daß sie fortwährend besonderen Bedürfnissen, vor allem der Anfügung und Ausschmückung privater Kapellen zum Gedenken an wohlhabende Kaufmannsfamilien, angepaßt werden konnten. So stellt die 1296 von den Franziskanern erbaute Basilika Santa Croce in Florenz mit ihren schlanken, weit auseinanderstehenden Pfeilern und der zwischen 1330 und 1334 von Giottos Patensohn und Schüler Taddeo Gaddi (ca. 1300-1366) ausgemalten Cappella Baroncelli ein typisches Beispiel für diese Bauweise dar (Abb. 33).

Hier läßt die auf mehrere Schwerpunkte verteilte Lichtführung den einfachen Raum komplexer erscheinen. Das große Lanzettfenster schildert in seinem Buntglas – das in italienischen Kirchen hin und wieder effektvoll eingesetzt wurde – jene visionäre Szene, wo der heilige Franz von Assisi die Wundmale Christi, die *stigmata*, empfängt. Taddeo Gaddi zeigte sich bei der Ausmalung dieser Kapelle förmlich vom Licht besessen. Dies mag daran gelegen haben, daß er im Jahr 1332 bei dem Versuch, eine völlige Sonnenfinsternis zu beobachten, beinahe erblindet wäre. Bei der Ausmalung der Kapelle versuchte er die Wirkung des realen Sonnenlichts zu nutzen, das durch das Lanzettfenster einfiel. Links stellte Taddeo eine Reihe mystischer Erlebnisse dar. Die oberste Szene zeigt Mariä Verkündigung, die traditionell mit der Ausbreitung des Lichts in Verbindung gebracht wurde, weil Maria Christus empfing, ohne dabei ihre körperliche Unversehrtheit zu verlieren. In der unterhalb dargestellten Verkündigung an die Hirten läßt ein andersartiger, greller Lichtstrahl die Hirten plötzlich aus ihrem Schlaf aufschrecken. Die zuunterst abgebildeten Heiligen Drei Könige knien andächtig vor einer anderen Vision: vor der Krippe mit dem gleich einem Stern leuchtenden Jesuskind, dessen Schein zusätzlich durch das eindringende Tageslicht unterstrichen wird.

Auch in visueller Hinsicht stellt das Marienpolyptichon der Cappella Baroncelli eine wichtige Neuentwicklung dar. Die von Giotto und seinen Schülern gemalte Marienkrönung befand sich ursprünglich nicht in einem klassischen rechtwinkligen Rahmen, sondern in einem mit gotischen Baldachinen verzierten, die Umrisse des darüber befindlichen Buntglasfensters nachahmenden

34 Soest, Pfarrkirche St. Maria zur Wiese, Baubeginn 1331

Die Buntglasfenster zeichnen sich dadurch aus, daß sie – wie alle späteren Glasmalereien, durch die Verwendung von Gelb und Silber anstelle der früher üblichen, intensiven Blau- und milchigen Rottöne – mehr Licht in den Innenraum eindringen lassen.

Altargehäuse. Das Polyptichon besitzt seine eigene visuelle Hierarchie: Die einzelnen Personendarstellungen der Predellenbilder bilden den Sockel für das Altarbild mit seinen dicht gedrängten, jeweils mit einem Heiligenschein umgebenen Figuren. Den verschiedenen Bildtypen entsprechen unterschiedliche Malstile. Das in Temperatechnik (Farben, die mit Eigelb oder einem anderen Bindemittel, nicht jedoch mit Öl, angerührt wurden) auf Holz gemalte Altarbild mit seinem vielen Gold und den üppigen, Dutzende von Heiligenscheinen zierenden Mustern zeigt eine weit konservativere Darstellungsweise als die naturalistischeren Schilderungen der rundum befindlichen Fresken. Dies rührt nicht allein davon her, daß Temperafarben eine andere Wirkung entfalten als die Freskotechnik. Mindestens ebenso ausschlaggebend war die Tatsache, daß Altarbilder und Wandgemälde unterschiedlich betrachtet wurden. Die Wand war ein Teil der Welt und wurde wie diese vom Sonnenlicht erhellt, wohingegen das auf dem geweihten Altar zur Schau gestellte Gemälde ein eigenes Licht entsandte, mit dessen Schein sich das flackernde Licht der Altarkerzen und das Schimmern der bei der Messe verwendeten liturgischen Geräte vermischte.

Im Lauf des 14. Jahrhunderts wurden in ganz Europa Hunderte von Marienkirchen erbaut, die sich infolge der lokalen Traditionen und der verwendeten Werkstoffe sehr voneinander unterschieden. Im Norden stellt die Pfarrkirche Maria zur Wiese in Soest (Baubeginn 1331) ein typisches Beispiel der weiträumigen Hallenkirchen dar, deren Altäre und Bildnisse durch die massiven Lanzettfenster beleuchtet werden (Abb. 34). Im nördlichen Europa lag das Hauptgewicht der narrativen Darstellungen weniger auf den Wandmalereien als auf den Altarbildern. Sie wurden in eine immer komplexere, schreinartige, häufig mit Schnitzereien verzierte Architektur einbezogen und mit schwenkbaren Flügeln versehen, die je nach den Vorgaben des liturgischen Kalenders geöffnet oder geschlossen werden konnten. Melchior von Broederlams (ca. 1381-1409) Verkündigung an Maria ziert den linken Flügel jenes Altares, den der Tafelmaler im Auftrag Herzog Philipps des Kühnen von Burgund für eine Kapelle in der Kartäuserkirche von Champmol bei Dijon anfertigte (Abb. 35). Broederlam machte sich den ungewöhnlichen Zuschnitt der Bildfläche zunutze, da das Gemälde sich in den schwenkbaren Außenflügel eines Schreinaltares mit Schnitzfiguren im Mittelteil einfügen sollte. Doch die Architektur innerhalb des Gemäldes dient nicht nur der räumlichen Gliederung, sondern besitzt darüber hinaus symbolische Bedeutung. Der rötliche, von einer Kuppel überwölbte Turmbau im Hintergrund verkörpert mit seinen romanischen Rundbögen das Alte Testament, während die nach vorne angrenzende, mit gotischem Maßwerk geschmückte Halle für das Neue Testament steht. Die kahle Felslandschaft, vor welcher sich die Verkündigung durch den Engel abspielt, erstreckt sich nach oben und außen tief in den Raum hinein.

35 Melchior Broederlam (ca. 1381-1409)
Mariae Verkündigung, 1395-1399 (Ausschnitt). Tempera auf Holz, 1,67 m x 1,25 m. Feld vom linken Außenflügel eines Altars für die Kartause von Champmol, bei Dijon. Musée des Beaux Arts, Dijon

36 Lorenzkirche in Nürnberg, 1445-1472

Während die gotische Ausstattung der meisten Pfarrkirchen infolge der Reformation oder des sich wandelnden Kunstgeschmacks verlorenging, hat die Lorenzkirche ihr mittelalterliches Erscheinungsbild – wohl als Sinnbild lokaler Tradition und patrizischen Reichtums – bewahrt, obwohl sie im Jahr 1525 protestantisch wurde.

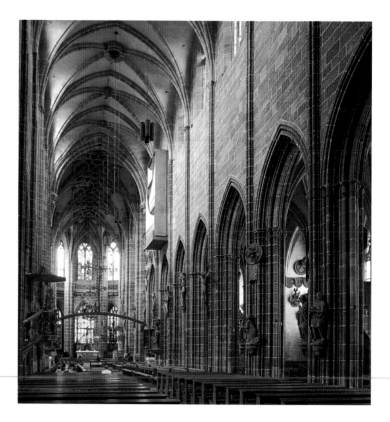

Der mittelalterliche Betrachter wurde durch die Vielfalt der Darstellung, die *varietas*, sowie durch den vielschichtigen Symbolcharakter des Bildes angesprochen: angefangen bei der im Vordergrund dargestellten Lilie, dem Sinnbild der Jungfräulichkeit, bis hin zu dem in der Ferne abgebildeten Turm. Der links zu sehende, sich rasch verengende Korridor verkörpert den *hortus conclusus*, die jungfräuliche Reinheit der Maria. Die durch das gotische Maßwerk des Fensters dringenden Lichtstrahlen sind eine materielle Offenbarung des göttlichen Wortes, das in Marias Körper zu Fleisch geworden ist. Wie bereits im Zusammenhang mit der Kathedrale von Chartres und der Arena-Kapelle erwähnt, war das Fenster eine besonders häufig mit der Jungfrau Maria verbundene Assoziation. Auch im vorliegenden Fall wird Maria – diesmal allerdings in einem Tafelbild – als »Himmelsfenster« dargestellt, als *fenestra coeli*, »durch welches Gott das wahre Licht in die Welt sandte«.

Ähnlich überladen wie die gedrängte Darstellungsweise dieses Gemäldes präsentierten sich die Innenräume der Kirchen im 15. Jahrhundert. Im Heiligen Römischen Reich entwickelte sich die Hallenkirche zu einem einzigen, lichtdurchfluteten Raum, innerhalb dessen die einzelnen, gleichzeitig dem Andenken der patrizischen Mäzene dienenden Andachtsorte gut auszumachen waren. St. Lorenz in Nürnberg etwa besticht durch den polygonalen Grundriß des Hallenchores, unmittelbar in das Sterngewölbe über-

gehende Pfeiler und durch lediglich zwei Reihen von Maß-werkfenstern unterbrochene Außenwände (Abb. 36). Diese beleuchten die im Kircheninneren zur Schau gestellten Bildnisse. Das großartige steinerne Sakramentshaus, das zur Aufbewahrung der geweihten Hostie diente und links vom Altar bis in die Gewölbezone aufsteigt, stammt von Adam Krafft (ca. 1460-1509) und wurde von dem Nürnberger Ratsherren Hans Imhoff dem Älteren 1493 in Auftrag gegeben. Anton Tucher, ebenfalls ein Nürnberger Patrizier, ließ später von Veit Stoß (ca. 1445-1533) eine hölzerne Verkündigungsgruppe anfertigen, den vom Chorgewölbe herabhängenden Englischen Gruß. Beide Kunstwerke werden immer wieder als typische Beispiele der nördlichen Renaissance angeführt. Dies heißt sie jedoch isoliert betrachten: Als Teil des gesamten Kircheninneren fügen sie sich wunderbar in die gotische Tradition ein.

Der Einfluß gotischer Kunst zeigt sich nicht nur an großen Kirchen und Kathedralen, sondern auch in den kleineren Pfarrkirchen und Kapellen, die in ganz Europa zu Tausenden errichtet wurden. Zu keiner Zeit war die Gotik ein einzigartiger, einheitlicher Kunststil. Vielmehr entwickelte sie – je nach den lokalen Traditionen – vielfältige Varianten und ganz unterschiedliche Formen. Dies soll durch ein einziges Beispiel verdeutlicht werden. Auf der schwedischen Insel Gotland befindet sich die kleine Pfarrkirche von Lärbro, die gegen Ende des 13. Jahrhunderts mit weitaus bescheide-

37 Kirche von Lärbro, Gotland.
Nordwand des Altarraums mit Wandmalereien, die einen Drachen, einen Evangelisten mit einem Gründungskreuz und eine Kreuzigungsszene zeigen, ca. 1280

Die ursprüngliche, unzählige Objekte umfassende Ausstattung gotischer Kirchen ist in Skandinavien besser erhalten als im Rest des nördlichen Europa.

neren Mitteln als die bisher betrachteten königlichen, kirchlichen und bürgerlichen Gebäude errichtet wurde (Abb. 37). Die nördliche Mauer des Altarraums belegt, daß man selbst mit begrenzten Mitteln einen gotischen Raumeindruck zu erzeugen suchte. Dort sitzt ein geflügelter Drache – ein romanischer oder vielleicht sogar ein heidnischer Überrest – am Ursprung des Chorbogens, dessen gemalter Schwanz sich um den dreidimensionalen Kopf ringelt. Erst spät, im Jahr 1026, gelangte das Christentum nach Gotland. Religiöse Darstellungen dienten hier folglich immer noch dem Bekehrungsprozeß. Zum Bau einer schwerelosen, steinernen Architektur waren weder die erforderlichen finanziellen Mittel noch entsprechend ausgebildete Künstler und Handwerker vorhanden. Nichtsdestotrotz suchte die durch die Hanse mit dem restlichen Europa im Austausch stehende Gemeinde einige gotische Effekte nachzuahmen. Auch ihre Kirche zieren zwölf Apostel, die allerdings im Gegensatz zu den prächtigen Skulpturen der Sainte-Chapelle in einfachen Erdfarben gemalt sind und mit ihren Gründungskreuzen an die Weihezeremonie erinnern. Die kleine Pfarrgemeinde konnte natürlich keinen Künstler vom Range eines Adam Krafft mit der Anfertigung eines Sakramentshäuschens beauftragen, doch wurde die Wandnische, in der die geweihten Hostien statt dessen aufbewahrt wurden, in illusionistischer Manier mit einem aufgemalten, mit Kriechblumen besetzten Ziergiebel hervorgehoben. Mehr noch: Die unmittelbar darüber dargestellte Kreuzigungsgruppe verweist auf die göttliche Wahrheit, welche die heilige Hostie verkörpert. Die daneben stehende Maria, deren Herz als Zeichen der Trauer und des Schmerzes von einem Pfeil durchbohrt wird, ist ein weiteres Beispiel eines erst unlängst aufgekommenen, bis in den hohen Norden vorgedrungenen Motivs. Hier spielt an den langen Sommerabenden das Sonnenlicht auf den weichen Konturen des Mörtels und hebt die spitz zulaufenden Maueröffnungen hervor. In unzähligen kleinen Pfarrkirchen quer durch ganz Europa wurde die gotische Kunst durch vergleichbar schlichte, auf wenige Farben reduzierte Wandgemälde verkörpert.

Gotische Kunst und weltliche Macht

Welches Bild machte man sich im 13. Jahrhundert von jener Welt, in der sich die gotische Kunst derart rasch ausbreitete? Ein zeitgenössischer Psalter zeigt eine ganzseitige Darstellung der Welt, deren Mittelpunkt die Stadt Jerusalem bildet (Abb. 38). Diese Abbildung entspricht den Worten des Propheten Hesekiel: »So spricht der Herr: Das ist Jerusalem, das ich mitten unter die Heiden gesetzt habe und ringsumher Länder« (Hesekiel 5,5). Jerusalem war auch das ferne Ziel der Kreuzzüge, welche die Rückeroberung des Heiligen Landes für die Christenheit und dessen Befreiung von der muslimischen Herrschaft bringen sollten. Nach Jerusalem, der weltweit wichtigsten Stätte der Christenheit – dem Schauplatz der Kreuzigung Christi – zog es alle Pilger. Die damaligen Landkarten

39 Conwy Castle, Gwynned, Wales.
Der äußere Burgzwinger mit Blick gen
Westen, ca. 1283-1292.
Links ist der bogenförmige Grundriß
des Rittersaales zu erkennen, dessen
Dach wohl auf einem hölzernen
Gebälk geruht hat. Diese Aufnahme ist
vom inneren Burgzwinger aus
aufgenommen,wo sich auch die
königlichen Gemächer befanden.

zeigten mit ihrer oberen Kante nach Osten und nicht nach Norden – gemäß der Überzeugung, daß der Erlöser am Tag des Jüngsten Gerichts einst wie die Sonne vom Osten her kommen würde. In manchen Kirchen – wie etwa in der Kathedrale von Hereford – konnte man Karten bewundern, auf denen wie in der oben genannten Abbildung Christus als Weltenherrscher gezeigt wurde. 1236 erteilte der englische König Heinrich III. den Auftrag, die Wände seiner Paläste in Westminster und Winchester mit einer *mappa mundi* zu bemalen. Weltliche Herrscher maßen derartigen Karten eine klare territoriale Bedeutung bei. Die in den Ecken abgebildeten Ungeheuer belegen, daß die Karten biblische, mythologische und geographische Legenden mit der Darstellung realer räumlicher Beziehungen vermischten. Ungeachtet ihres Symbolgehalts künden sie von der zunehmenden Aufteilung und visuellen Aufbereitung des tatsächlichen Raumes, die im Zeitalter der Gotik einsetzte.

Sowohl die französische als auch die englische Krone trieb infolge ihrer territorialen Expansionspolitik den Burgenbau voran. Um die neu eroberten Territorien zu sichern und die Grenzen zu bewachen, legten die Könige ein sorgfältig ausgeklügeltes Verteidigungssystem an, dessen Linienführung an die Psalterkarte erinnert. Burgen wurden als Aussichtspunkte errichtet. Wie bei den großen Kathedralen wurde auch das Äußere der Burgen zusehends kunstvoller gestaltet und mit Symbolen verziert, die die Macht der Burgherren unterstrichen. Ebenso wie sich die Bestimmung und Bedeutung der Kirchen in einigen symbolischen architektonischen Elementen – Spitzbögen, Strebebögen und Fialen – widerspiegelten, wuchs den zunächst rein funktional begründeten Bollwerken und Verteidigungsvorrichtungen der Burgen rasch symbolische Bedeutung zu. Zu den charakteristischen Elementen einer Burg zählten wehrhafte Rundtürme, die sogenannten *donjons* oder Bergfriede, eine Grabenanlage und Zinnenkränze (deren Errichtung im 13. Jahrhundert nur mit königlicher Erlaubnis erfolgen durfte).

Conwy Castle wurde ab 1283 auf Geheiß von Eduard I. (1272-1307), dem Sohn Heinrichs III., zur Sicherung des eroberten Wales errichtet. Obwohl von der Burg heutzutage nur noch Ruinen übrig sind, vermitteln diese doch einen deutlichen Eindruck von der räumlichen Dynamik königlicher Macht (Abb. 39). Strategisch günstig an einer Meeresbucht gelegen, ließ sich von der Burg aus ein weiter Landstrich überblicken und ein eventuell anrückender Feind rechtzeitig ausmachen. Die innere Burganlage verfügte ebenfalls über Aussichtspunkte. So konnte der König der Messe von einem über der Burgkapelle gelegenen Privatgemach aus beiwohnen. Zu diesem Zweck waren eigens Luken angebracht worden. Wer heute die Ruinen mittelalterlicher Burgen besichtigt, muß seine Phantasie zu Hilfe nehmen, um sich all den Reichtum auszumalen, den diese einst beherbergten. Die großen Hallen und königlichen Gemächer waren in der Regel mit Bannern und kunstvoll gewirkten Stoffen geschmückt, das hölzerne Gebälk war bunt bemalt, und die Wachen und Bediensteten trugen farblich abgestimmte, kunstvoll bestickte Livreen.

40 Der Marktplatz der Stadt Montpazier, einer Neugründung König Eduards I. von England aus dem Jahr 1285

Bastidenstädte (der Ausdruck leitet sich vom französischen *bâtir* = »bauen« her) dienten – wie die geraume Zeit später in der Neuen Welt systematisch angelegten Kolonialstädte – der gezielten Ausbeutung der Einwohnerschaft und stellten keineswegs den damaligen italienischen Stadtstaaten vergleichbare Keimzellen der Demokratie dar.

Romanische Kunst kam vor allem in den Klöstern zum Tragen, gotische hingegen in den Städten. In Frankreich und dem Heiligen Römischen Reich, wo der Reichtum der Krone und der Bischöfe zunehmend auf Handelsgeschäften gründete, erlebte die gotische Kunst in den großen, von mächtigen Mauerringen geschützten Städten eine beachtliche Blüte. Wir pflegen mit dem Spitzbogen unweigerlich religiöse Bauten zu verbinden und vergessen darüber, daß er im Mittelalter allgegenwärtig war – nicht nur in der Burgenarchitektur, sondern auch in städtischen Gebäuden. Die großen Kathedralen entstanden inmitten des geschäftigen Treibens von Marktstädten und wurden aus dem städtischen Handel finanziert. Auf Marktplätzen fanden sich ebenfalls Spitzbogen, etwa in den Arkaden oder sogenannten *couverts* (überdachten Laubengängen) der 1285 von König Eduard I. gegründeten Stadt Montpazier (Abb. 40).

Montpazier, eine jener typischen Bastidenstädte, wie die Engländer sie in der von ihnen eroberten Gascogne im heutigen Südwestfrankreich errichteten, folgt in seiner Anlage einem streng geometrischen Plan, in dem Marktplatz und Kirche einander jeweils an der Hauptachse gegenüberliegen. Eine derart systematisch geplante Stadtgründung kombinierte ebenso sehr symbolische und praktische Vorgaben wie jeder Kathedralbau. An allen vier Ecken des Marktplatzes stießen zwei Arkaden in einem spitzen Winkel zusam-

men. Diese sogenannten *cornières* boten Schutz für Stände und Buden und dienten gleichzeitig als Kontrollpunkte, an denen Eindringlingen, die nicht im Besitz gültiger Handelsrechte waren, der Zugang zum Markt verwehrt werden konnte. In manchen Städten erfolgte die Errichtung öffentlicher Gebäude in kommunaler Regie. Dies traf etwa auf das heute noch zu besichtigende Rathaus in Lübeck zu, dessen aus dunklem Backstein errichtete, imposante Arkaden trotz massiver Restaurierungsarbeiten einen zutreffenden Eindruck von der Pracht dieser bürgerlichen Gotik vermitteln (Abb. 41). Die mittelalterliche Stadt symbolisierte die Freiheit von sämtlichen, auf dem flachen Lande üblichen lehnsherrschaftlichen Verpflichtungen, stellte jedoch gleichzeitig den strengsten überwachten Rechtsraum des Mittelalters dar. Da in den Städten die Ansprüche mehrerer Grund- und Gerichtsherren aufeinandertrafen, konnte eine Straße einem ortsansässigen Kloster, einem Bischof, dem zuständigen Grafen oder der Kommune gehören. Jedes einzelne architektonische Element, jedes Tor, jeder Grenzstein war ein Zeichen sozialer Kontrolle. Eine zeitgenössische Allegorie in Form eines Schachspieles, dessen einzelne, die verschiedenen städtischen Gewerbe verkörpernden Figuren miteinander um die Kontrolle des städtischen Raumes wetteifern, vergleicht das Schachbrett, das nur genau festgelegte Züge zuläßt, mit dem Grundriß einer Stadt.

41 Das Rathaus von Lübeck, Baubeginn ca. 1250

Das zwei Seiten des Marktplatzes einnehmende Rathaus, war – einer Kathedrale vergleichbar – jahrhundertelang sichtbarer Ausdruck des Bürgerstolzes. Die hohen, spitz zulaufenden Aufbauten des nördlichen Flügels mit den beiden großen, der Brechung des Windwiderstandes dienenden Öffnungen, markieren den ältesten Gebäudeteil. Die kunstvolleren Aufbauten des angrenzenden Flügels entstanden ca. 1440.

42 Der heilige Dionysius (Saint Denis) zieht in die Stadt Paris ein, *Vie de Saint Denis*, 1317. Buchmalerei auf Pergament, 24 x 16 cm. Bibliothèque Nationale, Paris

Die von Fialen bekrönten Stützpfeiler am linken und rechten Rand der ganzseitigen Miniatur umgeben Paris mit einem geistigen und religiösen, zu der Lebensgeschichte des ersten Pariser Bischofs passenden Rahmen. Die mit Zinnen versehene Brustwehr kündet jedoch von den mächtigen Verteidigungsanlagen, welche die Stadt in Wirklichkeit umgaben und die eine ganz wesentliche Voraussetzung für deren Sicherheit und Wohlstand waren.

Zweifelsohne die berühmteste Stadt des 13. und 14. Jahrhunderts war Paris: mit dem Palais-Royal, der Sainte-Chapelle im Stadtkern, der imposanten Kathedrale Notre-Dame auf der Ile-de-la-Cité, mit seinen großen Märkten und aristokratischen Palais auf dem rechten und der berühmtesten europäischen Universität auf dem linken Seineufer. Eine Lebensbeschreibung des heiligen Dionysius (Abb. 42), des ersten Bischofs von Paris, schildert dessen Taten vor dem Hintergrund des regen zeitgenössischen Treibens in der Stadt und der vielen Handelsgeschäfte, die Paris zur ersten »Kunstmetropole« in Europa erhoben. Man kann Pflasterer sehen, die gerade jene Verkehrsadern schaffen, auf denen Waren und Dienstleistungen sich einen Weg durch die Stadt bahnen konnten. Die große Bedeutung der Stadt kam auch in ihrem gewaltigen Mauerring zum Ausdruck. »Parisus paradisus«, das irdische Gegenstück des Himmli-

43 Benedikt Ried
Vladislav-Saal im alten
Königsschloß auf dem
Hradschin, Prag, 1502

schen Jerusalem – keine heilige Stadt, sondern ein wichtiger Handelsplatz. »Hier findet man die allerbesten Bildermacher, ganz gleich ob es sich um Skulpturen, Gemälde oder um Reliefs handelt«, so der Pariser Gelehrte Jean de Jandun. Schon damals war Paris das Modezentrum Europas. Hier entstand das Phänomen Mode innerhalb jener Bevölkerungsschicht, die es sich leisten konnte, ein bestimmtes »Image« zu kultivieren, und in Paris konnte man schon damals auf offener Straße die neuesten Modetrends bewundern.

Von dem Königspalast auf der Ile-de-la-Cité, wo Philipp V. im Jahr 1317 das Manuskript mit der Lebensbeschreibung des heiligen Dionysius entgegennahm, ist nur die Sainte-Chapelle erhalten. Es ist kaum möglich, sich die einstigen großartigen gotischen Audienzräume auszumalen. Der ebenfalls im 13. Jahrhundert errichtete Thronsaal des Westminsterpalastes in London fiel im 19. Jahrhun-

dert einem Brand zum Opfer. Der wesentlich später von Benedikt Ried (ca. 1454-1534) erbaute Vladislavsaal im Hradschin zu Prag, der anläßlich von Krönungsfeierlichkeiten auch zur Abhaltung von Ritterturnieren diente, ist das eindruckvollste noch erhaltene Beispiel eines Audienzraumes (Abb. 43). Das prachtvolle Gewölbe mit seinen beinahe bis zum Fußboden reichenden, flammenartig geschwungenen Rippen zeugt davon, wie weltliche Herrscher ihre Gäste mit Hilfe der gotischen Architektur zu beeindrucken suchten.

Die weitläufigsten Beispiele gotischer Profanarchitektur sind in den einstigen italienischen Stadtstaaten erhalten. Der Freskenzyklus, mit dem Ambrogio Lorenzetti (tätig 1319-1348) die Sala dei Nove im Palazzo Pubblico zu Siena ausmalte, zählt im Hinblick auf das darin enthaltene bildliche und politische Programm zu den komplexesten Darstellungen damaliger Zeit (Abb. 44). Die neun »guten und gesetzestreuen Kaufleute« von Siena, welche die Regierung bildeten, hatten während ihrer Ratssitzungen stets die allegorische Darstellung der »Folgen der guten Herrschaft« vor Augen, ein Fresko an der Nordwand des Sitzungssaales. Inschriften in gereimter Volkssprache wendeten sich direkt an die Ratsmitglieder und forderten sie auf, zu ihrer Linken die »Schlechte Regierung« unter der Tyrannei und dann zur Rechten die »Gute Regierung« des republikanischen Stadtstaates anzuschauen, und legten ihnen nahe, beim Führen der Staatsgeschäfte stets hierher zu blicken. Siena verfügte neuerdings über einen von weitem sichtbaren Orientierungspunkt in Form der hoch oben in der Ecke abgebildeten Kathedrale. Die im Bild dargestellte, stark verkürzte Stadtmauer kündet von dem großen Geschick des Malers. Das Stadtgebiet von Siena weist keine in verschiedene Ebenen oder konzentrische Kreise unterteilte

hierarchische Ordnung auf. Vielmehr grenzen die Stadtmauern einen sozialen Raum ab, innerhalb dessen sich die Bürger frei bewegen können: angefangen von jenen Menschen, die vor den prächtigen Säulenvorhallen tanzen, bis hin zu jenen, die auf den Feldern der Ernte nachgehen. Dieser soziale Raum unterliegt jedoch einer strengen Kontrolle, die jeweiligen gesellschaftlichen Rollen sind genauestens definiert. So ist die Aufteilung der Felder in geometrische Parzellen das Resultat der gezielten städtischen Agrarpolitik. Wir sehen die landschaftliche Umgebung vom Standpunkt des Stadtbewohners aus – ein Blickwinkel, der auch zunehmend jener des Künstlers wird. Die mannigfaltige Perspektive hat auch zur Folge, daß die Bauern zu ein und derselben Jahreszeit pflanzen und ernten können. Schließlich rundet der Rahmen die Darstellung zu einer idealisierten und philosophischen Darstellung der damaligen Welt ab, wie sie sich an der Fassade einer jeden Kathedrale befindet – wenn man davon absieht, daß die städtischen freien Künste der Arithmetik und Geometrie hier außerhalb der Stadt zum Tragen kommen und die Planetenbewegungen der Astrologie unterhalb der Landschaft abgebildet sind. Die Darstellung der vor den Stadttoren liegenden Gärten, Felder und Wiesen wird gelegentlich als erste »Landschaftsmalerei« in der abendländischen Kunst bezeichnet. Doch wurde dieses Umland nicht aus ästhetischen Gründen einbezogen, sondern wegen seiner wirtschaftspolitischen Bedeutung.

Nördlich der Alpen orientierten sich die wohlhabenden städtischen Kaufleute, die nun auch zunehmend als Förderer der Künste in Erscheinung traten, am königlichen Hang zur Prachtentfaltung. Dies belegt jenes stattliche Palais, das Jacques Coeur um die Mitte des 15. Jahrhunderts in Bourges errichten ließ. Jacques Coeur (1395-

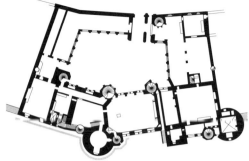

Oben:
45 Das Haus des Jacques Coeur, Bourges, ca. 1443.
Grundriß

Links und unten:
46 Das Haus des Jacques Coeur, Bourges, ca. 1443.
Schauseite zur Straße hin sowie Ausschnitt mit den
beiden Dienerfiguren

1456) war bis zu seinem Sturz der Finanzier der französischen Könige und herrschte über ein Handelsimperium, das von Schottland bis nach Palästina reichte. Über der doppelten Toranlage – das eine Portal war für Reiter und das schmälere für Fußgänger bestimmt – befand sich ein großes Maßwerkfenster und ein im Style Flamboyant errichteter Turm (Abb. 45 und 46). Die von einem Baldachin bekrönte Nische über dem Haupteingang beherbergte einst ein Reiterstandbild des Königs, während Jacques' eigene Reiterstatue ein entsprechendes Portal an der Innenseite des Gebäudes ziert und ihn als Herrscher über seinen eigenen Besitz ausweist. An der heute noch erhaltenen Fassade fallen vor allem die beiden vorgetäuschten Balkonfenster auf, aus denen die lebensgroßen Statuen eines Dieners und einer Dienerin auf die Straße schauen. Diese vorgetäuschten Fenster lassen – im Gegensatz zu dem die Kapelle erhellenden Vierpaßmaßwerkfenster – nicht erkennen, welcher Raum sich hinter ihnen befindet.

Hinter der kunstvoll gestalteten Außenfassade verbirgt sich ein privater Innenhof, um den sich im ersten Stock die wichtigen, dem Publikumsverkehr dienenden Räume gruppieren, während die Privatkapelle und die Wohnräume in der zweiten Etage liegen. Das ständige Wechselspiel zwischen privater und öffentlicher Sphäre kennzeichnet das Haus, dessen prächtige Kamine mit Skulpturen und Malereien verziert sind, in denen fortwährend die beiden persönlichen Embleme von Jacques Coeur – die Jakobsmuschel seines Namenspatrons sowie unter Anspielung auf seinen Familiennamen ein Herz (*coeur*) – vorkommen. Prunkvolle Hallen oder Empfangsräume wird man vergeblich suchen. Das Haus besteht vielmehr aus zahlreichen kleineren Gemächern, die auf den allmählichen Übergang von öffentlichen, aristokratischen Räumen zu einer privaten, häuslichen Sphäre schließen lassen. Von den Schlafgemächern führen Türen in Versorgungsgänge, benutzt von den unzähligen Dienstboten, die zwischen den Privaträumen und der tiefer gelegenen Küche hin und her eilten. Während die rund um den als Versammlungsraum dienenden Rittersaal gebauten Burgen nur wenig private Rückzugsmöglichkeiten boten, gab es in diesem Haus manch verborgenen Winkel. Dieses neu aufkommende Interesse an einer Privatsphäre spiegelt sich in einer um 1400 von einem Pariser Illuminator angefertigten Miniatur, in der sich ein Paar zum Liebesspiel ins Bett zurückgezogen hat. Zwar bleiben die unteren Körperpartien diskret hinter einem Vorhang verborgen, doch haben zwei durch ein Innenfenster blickende Voyeure einen günstigeren Standpunkt. In den mittelalterlichen Behausungen stellte das Bett die einzige Privatsphäre dar. Die mit einem kunstvollen Baldachin und aufwendigem Zierrat versehene Schlafstatt war häufig der am meisten geschätzte und kostbarste Einrichtungsgegenstand. Die abgebildete Bettszene dient als Illustration zu dem Kapitel über mensch-

47 Privater Raum und Privatsphäre.
Miniatur aus dem *Livre de la Propriété des Choses*, ca. 1410. Buchmalerei auf Pergament, ganzseitig, 40,2 x 32 cm. Herzog-August-Bibliothek, Wolfenbüttel

Die Miniatur stammt aus dem Umkreis des Boucicaut-Meisters, eines Pariser Illuminators, der kompliziertere Lichtverhältnisse und perspektivische Elemente in die Buchmalerei einführte. Den beiden internen Zuschauern enthüllt sich keine göttliche Offenbarung, sondern das Geheimnis der menschlichen Fortpflanzung.

liche Fortpflanzung im *Livre de la Propriété des Choses*, einer populären zeitgnössischen Enzyklopädie (Abb. 47). Indem es dem Betrachter Einblick in das Innenleben eines Gebäudes gewährt, dokumentiert es dasselbe Interesse am Wechselspiel zwischen öffentlicher und privater Sphäre wie in der häuslichen Architektur.

Zum Schluß dieses Kapitels wollen wir uns gedanklich noch einmal an die Wende vom 14. zum 15. Jahrhundert begeben, um uns mit jenem Adligen zu befassen, den Jacques Coeur sich vermutlich zum Vorbild genommen hatte: Herzog Johann von Berry, Bruder König Karls V. (1364-1380) und einer der reichsten Männer Frankreichs. Indem er seine Untertanen mit den höchsten Abgaben in ganz Frankreich belastete, vermochte Berry großen Reichtum anzusammeln. Zu seinem Besitz zählten zwei Residenzen in Paris und nicht weniger als siebzehn Burgen in der Auvergne und Berry. Er wird häufig als einer der ersten Kunstkenner beschrieben – als ob der Umstand, daß er schöne Dinge um ihrer selbst willen schätzte, seine lasterhafte Eitelkeit vom kunsthistorischen Standpunkt aus wettmachen würde. Bestandslisten aus seinem Nachlaß 1416 belegen, daß seine Sammlungen neben antiken Kameen, Tapisserien, Uhren, Juwelen und mit kostbaren Miniaturen versehenen Büchern eine große Anzahl von Jagdhunden, einen Zahn Karls des Großen, Milchtropfen von der Jungfrau Maria und Knochenfunde von einem 1378 unweit von Lyon ausgegrabenen Riesen umfaßten. Die meisten dieser seltenen Kostbarkeiten hortete Berry in seinem, im späten 14. Jahrhundert bei Bourges errichteten Lieblingsschloß Mehun-sur-Yèvre, wo er auch Schwäne und Bären hielt, die er zu seinen persönlichen Wappentieren erhob. Um das Jahr 1393 war Mehun-sur-Yèvre bereits so berühmt, daß Johanns Bruder, Herzog Philipp der Kühne, seinen Hofbildhauer dorthin entsandte, damit er die »Gemälde, Skulpturen und Schnitzereien« studiere.

Von Mehun-sur-Yèvre, das Froissart in seiner Chronik als »das schönste Gebäude auf der ganzen Welt« rühmte, sind heute nur noch einige verfallene Turmreste übrig. In *Les Très Riches Heures du Duc du Berry*, jenem berühmten Stundenbuch, das die Brüder Limburg (tätig 1400-1415; Abb. 48) für den Herzog von Berry ausmalten, sind die zarten Fialen und die prächtigen weißen Türme jedoch für immer verewigt. Allerdings malten die Brüder Limburg ein ungewöhnliches Porträt vom Schloß ihres Mäzens – dient es doch zur Illustration all jener Reichtümer der Welt, die Christus ausschlug, als der Teufel ihn in der Wüste in Versuchung führte. Christus blickt von ganz oben im Bild auf die unten dargestellte Szene herab. Das Augenmerk des Betrachters, des Herzogs, wird ebenfalls auf das Schloß und die Menagerie exotischer Tiere gelenkt. Das Bild lädt den Herzog ein, alle Reichtümer der Welt mit seinem eigenen Besitz zu vergleichen – gewiß nicht, um sie wie Christus zurückzuweisen, sondern um sich an ihnen zu erfreuen. Das Himmlische Jerusalem ist endlich auf die Erde herabgekommen, aber in Form eines illusorischen gotischen Sammelobjekts und Gegenstands der Begierde, dessen Darstellung in erster Linie dem Vergnügen eines einzelnen Betrachters dient: das moderne »Kunstwerk«.

domini ca .ü. quadrage   nficato eum longitudie
inuocauit me et ce.   dierum adimplebo eum.
et ego exaudiam eu   Qui hitat ad ps.
eripiam eum et glo   utorio altissimu in pro

Kapitel 2

Die neue
Sicht der Zeit

Für mittelalterliche Besucher der Kathedrale von Chartres waren Raum und Zeit untrennbar miteinander verbunden. Den Weg von ihrem jeweiligen Dorf bis zu der Kathedrale maßen die Pilger nicht etwa in Meilen, sondern in Tagesreisen. Von den herrlichen Türmen herab kündigten die Glocken die liturgischen Stundengebete an. An langen Sommerabenden leuchteten die reich verzierten Säulen und Statuen der Westfassade im Licht der Abendsonne derart intensiv (Abb. 49), daß sie nicht nur an das Ende des jeweiligen Tages, sondern gleichzeitig an das Ende aller Tage, das Jüngste Gericht, erinnerten. Die stark verwitterten Kalksteinfiguren scheinen heute ein Symbol dafür zu sein, wie sehr der Zahn der Zeit an einzelnen Objekten nagt. In der farbenprächtigen Bemalung des Originalzustands verkörperten sie eine dynamischere Zeitauffassung. Die gemessene Zeit galt weniger als Verlust denn als Schritt hin zur Erfüllung der Heilsgeschichte. Für die mittelalterlichen Menschen hatte die Zeit einen Anfang und ein Ende, ein Ziel und einen Plan, der von Gott, der über der Zeit stand, vorgegeben waren. Moderne Betrachter neigen häufig dazu, mittelalterliche Bildnisse mißzuverstehen – nicht etwa, weil sich die verwendeten Formen so sehr von den heutigen unterscheiden, sondern weil sie vor dem Hintergrund einer völlig anderen Zeitauffassung zu sehen sind: innerhalb eines eschatologischen Rahmens, der oft Vergangenheit, Gegenwart und Zukunft miteinander kombinierte.

Die drei Westportale der Kathedrale von Chartres werden von reichem Skulpturenschmuck umrahmt (Abb. 50). In den seitlichen Türgewänden stehen riesige Figuren, und über den Portalen befinden sich bogenförmige Tympana (Türfelder), die wiederum von kunstvoll gearbeiteten Archivolten (Bogenläufen) eingefaßt werden. Diese Elemente finden sich allesamt bereits an verschiedenen romanischen Kirchen Frankreichs. Neu war lediglich, daß sie nun in ein einziges, in sich stimmiges Schema integriert wurden – eine Leistung, die ein ganzes Team von Bildhauern in der Mitte des 12. Jahrhunderts erbracht hatte. Das Ergebnis war von derart überwältigender Klarheit und Geschlossenheit, daß man die alten

49 Kathedrale von Chartres, Westportal, ca. 1150

Das Spiel von Licht und Schatten auf den Säulen unterhalb der Gewändefiguren, deren Muster auf die Romanik zurückverweisen.

50 Kathedrale von Chartres, Westportal, ca. 1150

Das sich über die drei Portale erstreckende Skulpturen- programm ist derart komplex, daß es nicht auf einen Blick erfaßt werden kann. Der mittelalterliche Betrachter war auch gar nicht auf rasche, unmittelbare Sinneseindrücke aus, sondern pflegte Kunst- gegenstände eingehend zu studieren und ausführlich über ihre Wirkung zu meditieren.

Portale der Westfassade beibehielt, als nach dem großen Brand von 1194 die Kathedrale neu errichtet und am Querhaus um zwei Por- talanlagen ergänzt wurde. Diese Einbeziehung älterer Elemente er- folgte in den vierziger Jahren des 12. Jahrhunderts auch in der Abtei von Saint-Denis. Sie stellt einen wichtigen Aspekt gotischer Kunst dar. Die Vergangenheit wurde nicht abgelehnt, sondern in die Gegenwart einbezogen, so daß die alten Formen nicht etwa durch die neuen gotischen zerstört, sondern häufig nur ergänzt wurden.

Die Zeitdarstellung in den Portalen von Chartres ist äußerst viel- schichtig. Vergangenheit, Gegenwart und Zukunft stehen im Skulp- turenschmuck der drei Türgewände gleichwertig nebeneinander. Läßt man den Blick an den Säulen emporwandern, fällt zunächst eine vertikale Gliederung der Zeit ins Auge. Die Gewändefiguren zeigen Könige und Propheten des Alten Testaments. Ihre stram- men, angespannten Körper scheinen die oberhalb dargestellten, neutestamentarischen Szenen zu stützen und den Weg zur himm- lischen Stadt zu weisen. Die obere, aus hunderten kleinerer Ge- stalten bestehende Figurenreihe läuft in Höhe der Kapitelle als Fries über sämtliche drei Portale hinweg. Das waagrechte Band schildert das Leben der Jungfrau Maria und Jesu Christi, wobei die Darstellung in der Mitte beginnt und sich von dort aus zunächst nach rechts und dann nach links fortsetzt, um schließlich wieder in der Mitte zu enden. Vermutlich stellt diese Anordnung einen Hinweis auf den zyklischen Gang allen irdischen Lebens dar. Die drei darüber befindlichen Tympana schildern jeweils unterschiedliche Aspekte von Gottes Eingreifen in die menschliche Zeit.

Das Tympanon über dem nördlichen oder linken Portal zeigt über einer Reihe nach oben blickender Menschen Christus in Begleitung von sechs Engeln. Seine Deutung ist heftig umstritten. Die Tradition sieht darin die Himmelfahrt Christi und das Ende des Weilens Christi auf der Erde. Eine andere Interpretation verweist auf die Schöpfungsgeschichte am Beginn aller Zeit, während ein ganz neuer Erklärungsversuch auf die Parusie, das Wiedererscheinen des ewigen, jedoch noch nicht als Sohn Gottes erkenntlichen Christus abzielt. Die beiden letztgenannten Interpretationen sehen in dem Tympanon – wohl zu Recht – eine Darstellung vergangener Zeit, d.h. der Zeitspanne zwischen dem Sündenfall des Menschen und seiner Erlösung durch Christus. Dies paßt hervorragend zu den Monatsbildern der das Tympanon umrahmenden Archivolten, die den jährlichen Kreislauf jener Tätigkeiten abbilden, denen die Menschen seit der Vertreibung aus dem Paradies nachgehen.

Das Tympanon über dem südlichen oder rechten Portal zeigt ebenfalls Christus, dieses Mal auf dem Schoß der Maria, dem »Thron der Weisheit« oder *sedes sapientiae*, sitzend (Abb. 51). Der Mittelachse nach unten folgend, entdeckt man in den beiden Türstürzen weitere Darstellungen Christi: den zwölfjährigen Jesus im Tempel und Christi Geburt. Dieses Tympanon verkörpert die gegenwärtige Zeit der Gnade. In der äußeren Archivolte sind weibliche Allegorien der sieben freien Künste sowie etwas tiefer deren klassische Vertreter, wie beispielsweise Aristoteles, als Schriftgelehrte angeordnet. Diese Abbildungen stehen für die Klugheit und Gelehrsamkeit, die man im Diesseits erlangen konnte (und die an der Domschule von Chartres vermittelt wurde). Von zwei Tierkreiszeichen und Monatsdarstellungen innen links an der Archivolte hat man oft angenommen, daß sie versehentlich am falschen Platz angebracht wurden, doch bezeugt ihr Vorhandensein, daß der Kreislauf menschlicher Tätigkeiten bis in die Gegenwart hineinreicht – stellt doch laut Hugo von St. Viktor das Jahr die Gegenwart zwischen der Ankunft des Herrn und dem Ende der Welt dar.

Das größte, mittlere Tympanon zeigt Christus als Richter des Jüngsten Gerichts, wie er am Ende aller Tage erscheinen wird, in jener Zukunft, welche die Christen als den Zweiten Advent freudig erwarten (Abb. 52). Christus ist von vier, die Evangelisten symbolisierenden Wesen umgeben und von den 24, in der Offenbarung beschriebenen Ältesten des Jüngsten Gerichts. Seine tief eingemeißelten Gesichtszüge strahlen eine größere Heiterkeit aus als die romanischen Vorbilder und lassen seine menschliche Natur sichtbar werden. Diese erhabene und zeitlose Skulptur des Erlösers ist ironischerweise diejenige Figur innerhalb des gesamten Portals, zu

51 Kathedrale von Chartres, Tympanon über dem rechten Portal der Westfassade, ca. 1150 (Ausschnitt aus Abb. 50, S. 72)

52 Kathedrale von Chartres, Tympanon über dem mittleren Portal der Westfassade, ca. 1150 (Ausschnitt aus Abb. 50, S. 72)

der der Betrachter am ehesten Zugang findet – zum einen wegen ihrer menschlichen Ausstrahlung und zum anderen, weil sie ihn direkt anblickt. Die kleineren Figuren unterscheiden sich durch ihre Blickrichtung: Jene aus der Zeit vor der Gnade blicken nicht zu Christus hin, während die unterhalb von ihm stehenden Apostel und die ihn umgebenden Engel allesamt in seinen herrlichen Anblick vertieft sind, ebenso wie der unten vor dem Portal stehende Betrachter. Obwohl die Menschen im Mittelalter davon ausgingen, daß das Ende der Welt und der Zeit nahe sei, bestand eine der wichtigen Neuerungen gotischer Kunst darin, daß die Ewigkeit nun mit Begriffen des Hier und Jetzt dargestellt werden konnte. Somit sind die drei Zeitstufen – Vergangenheit, Gegenwart und Zukunft – in der sich ständig fortentwickelnden Gegenwart, der wahren Zeit gotischer Bildnisse, eingeschlossen.

Vergangenheit

Bei seiner Beschreibung der von 1140 bis 1144 währenden Bauarbeiten an der Kirche von Saint-Denis, in deren Verlauf aus einer baufälligen Abtei das erste gotische Gebäude entstand, hielt Abt Suger in Stein gehauene Skulpturen für nicht weiter erwähnenswert. Aus seinem Bericht geht hervor, daß die Neuartigkeit dieses Bauwerks nicht in den Statuen des Westportals, sondern im Chor und in dessen bunten Glasfenstern begründet lag. Von einem Fenster schildert er, daß es den Betrachter »vom Materiellen zum Immateriellen erhebt«, eine typische Formulierung für die im 12. Jahrhundert weit verbreitete Vorstellung von der übernatürlichen Wirkung des Lichts. Abt Suger beschreibt jedoch auch eine äußerst wichtige zeitliche Dynamik. Im zweituntersten Medaillon wird Moses ein Schleier vom Gesicht genommen wird, während die zugehörige Inschrift verkündet: »Was Moses verschleiert hat, wird durch die Lehre Christi offenbart.« Die Szene darunter ist dem Übergang vom Alten zum Neuen Testament gewidmet: Dunkelheit und Finsternis weichen Licht und Klarheit. Christus selbst verhüllt das Gesicht einer Frauengestalt, die die Synagoge personifiziert, und setzt einer anderen, der Kirche, eine Krone auf (Abb. 53). Diese Denkweise, die sogenannte Typologie, war damals in der bildenden Kunst bereits fest verwurzelt und wurde keineswegs erst – wie häufig behauptet – von Abt Suger »erfunden«. Die Typologie betrachtet die Geschichte als die Erfüllung des göttlichen Heilsplans und das Alte Testament als einen kunstvoll verschlüsselten, die Ereignisse des Neuen Testaments vorwegnehmenden Code. Obwohl die Typologie die Vergangenheit wieder zum Leben erweckte und auf aktuelle ideologische Belange anwendbar machte, neigte sie nicht dazu, die Ereignisse unter der zeitlichen Perspektive, als Entwicklung oder als Schilderung zu betrachten. Ihr Interesse galt rein archetypischen Bezügen zur Heilsgeschichte. Den Künstlern des gotischen Zeitalters bot sich damit eine willkommene Rechtferti-

53 Abteikirche von Saint-Denis, anagogisches Fenster, 1140-1144

Die komplexe Bildlichkeit dieser Fenster war Teil eines von Abt Suger erfundenen Modells, das er als ein »nur aus der Literatur« zu verstehendes beschrieb. Anders als bei einem geschriebenen Text wird in den Buntglasfenstern nicht von oben nach unten oder von links nach rechts gelesen, sondern vom untersten Punkt aus. Mittelalterliche Erzählungen strebten aufwärts, so wie Suger das Bewußtsein als ein aufsteigendes beschrieb – eine sogenannte »anagogische Vision«.

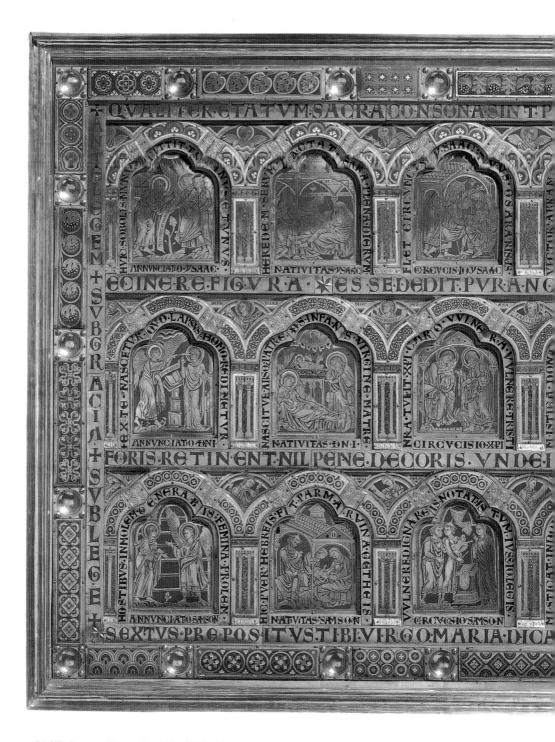

54 Nikolaus von Verdun (ca. 1140- 1216), linker Flügel des Klosterneuburger Altars, 1181. Vergoldetes Kuper und Emaille, Höhe 108,5 cm.

Die Parallellen des typologischen Programmms setzen sich über die tatsächliche zeitliche Abfolge der geschilderten Ereignisse hinweg. Die im Mittelpunkt stehenden und in der mittleren Bildreihe gezeigten Begebenheiten aus dem Leben Christi sind chronologisch eindeutig später einzuordnen als die oberhalb und unterhalb dargestellten Szenen aus dem Alten Testament.

gung, um auf bestehende Vorbilder zurückgreifen, ein und dieselben Kompositionsmuster übernehmen und je nach Kontext umgruppieren zu können. Ebenso wie das Neue Testament als Erfüllung des Alten galt, sah auch Abt Suger seine »neue« gotische Kirche nicht etwa als radikalen Bruch mit der Vergangenheit, sondern als deren Fortsetzung.

Dies trifft auch auf eine der großartigsten typologischen Darstellungen des Mittelalters zu – auf den sogenannten Verduner Altar, den Meister Nikolaus von Verdun (ca. 1140-1216) für Klosterneuburg bei Wien anfertigte. 1181 wurde zunächst eine Ambo fertiggestellt, ein Pult, an dem Lesungen aus der Heiligen Schrift vorgenommen wurden. Auf diese Funktion verweist auch das Bildprogramm der Emaillearbeiten, die später ergänzt und in einen Flügelaltar umgearbeitet wurden (Abb. 54). Die einzelnen Szenen sind nicht chronologisch, sondern nach typologischem System angeordnet und in drei horizontale Register unterteilt. Die oberste Reihe zeigt alttestamentliche Vorbilder vor der Gesetzgebung durch Moses (*ante legem*). Das unterste Register schildert Ereignisse der darauffolgenden biblischen Ära, der Zeit unter dem Gesetz (*sub lege*), von der Weitergabe des Gesetzes durch Moses bis zum Ende des Alten Testaments. Die Erfüllung des göttlichen Heilsgeschehens in der Zeit der Gnade (*sub gratia*) wird in der mittleren, Szenen aus dem Leben Christi enthaltenden Reihe beschrieben. Daher zeigt die vierte vertikale Reihe auf dem linken Flügel als erstes Abraham, wie er den Zehnten an Melchisedek entrichtet. Unten sieht man die Königin von Saba König Salomon ihre Geschenke darbringen. Die mittlere Szene schließlich schildert, was die beiden anderen vorwegnehmen, nämlich die Anbetung der Heiligen Drei Könige.

Wie in Saint-Denis kommt auch hier den erläuternden Inschriften große Bedeutung zu. Man nimmt an, daß dem gesamten typologischen Schema die Schriften bedeutender Theologen zugrundeliegen. Doch nicht die theologischen *figurae*, wie diese typologischen Bildnisse damals hießen, sondern die Körperlichkeit der von Nikolaus von Verdun dargestellten Gestalten machen die besondere Ausstrahlung dieses großartigen Kunstwerks aus. Meister Nikolaus – dem die Tradition der Metallbearbeitung, wie sie im belgischen Maastal gepflegt wurde, bestens vertraut war – kombinierte Niello (Schwarzschmelz) und Emailletechniken, die es ermöglichten, goldene Figuren gegen Flächen aus leuchtendblauer Emaille abzusetzen. Die Szenen sind nicht von der schwachen Wahrheit einstigen Geschehens durchdrungen, sondern strahlen infolge ihres fortwährenden Ablaufs eine starke Resonanz aus. So unterscheiden sich die drei Geschenkszenen jeweils geringfügig in ihrer Komposition: Nur der mittlere, theologisch wichtigste christologische Moment verläuft von links nach rechts – sozusagen vorwärts in der Zeit –, während die beiden Vorbilder umgekehrt, von rechts nach links, dargestellt sind. Die dramatische Bewegungsabfolge scheint nach dem göttlichen Heilsplan choreographiert. Wie seine Emailletafeln ist die gesamte Kunst des Nikolaus

von Verdun zugleich vorwärts- und rückwärtsgerichtet, ein Amalgam aus byzantinischen und romanischen Einflüssen. Der von antiken Skulpturen abgeschaute Faltenwurf und das trefflich beobachtete Muskelspiel kündigen gleichzeitig die sogenannte Protorenaissance des 12. Jahrhunderts an, die am Übergang von der Romanik zur Gotik einsetzt.

Abt Suger war sich offensichtlich bewußt, daß nur Gebildete die monumentalen Typologien verstehen konnten. Es überrascht daher nicht, daß die anspruchsvollsten typologischen Darstellungen des 13. Jahrhunderts in Buchmalereien zu finden sind. In der *Bible moralisée*, einer riesigen, auf Wunsch des französischen Königs angefertigten Bilderbibel, ist jedes biblische Ereignis gepaart mit einem weiteren Bild, das seine moralische Bedeutung erklärt. Eine in Wien erhaltene Kopie dieser Handschrift, deren Bildunterschriften erstaunlicherweise nicht in lateinischer, sondern in französischer Sprache verfaßt sind, beginnt mit einer ganzseitigen Abbildung, die

55 Die ersten vier Tage der Schöpfung, aus einer *Bible moralisée*, ca. 1220-1230. Buchmalerei auf Pergament, 34,4 cm hoch. Österreichische Nationalbibliothek, Wien

Die Rückseite zeigt Gott, den Geometer, bei der Erschaffung der Welt, während auf der Vorderseite die vier ersten Tage der Schöpfung dargestellt sind. Entsprechend des Buchformats werden die einzelnen Abbildungen wie ein Text von links nach rechts und von oben nach unten gelesen. Für die vier Medaillons gilt dies allerdings nicht: Die in ihnen geschilderte biblische Erzählung beginnt auf der rechten Seite und wird jeweils unterhalb durch allegorische oder erläuternde Bildnisse ergänzt, die häufig auf zeitgenössische religiöse Fragen und politische Ereignisse Bezug nehmen.

den Schöpfer als Geometer und Architekten aller Dinge zeigt, der mit Hilfe seines Zirkels die Welt erschafft (Abb. 55). Jene amorphe Masse, die er, flankiert von Sonne und Mond, in seiner linken Hand hält, stellt die formlose Materie oder das Chaos dar, aus der er gleich einem Künstler das Universum gestaltete. Dieser kosmische Augenblick markierte den genauen Beginn jener Zeit, deren Ende man für gewiß hielt. Von enormer Bedeutung für das damalige Kunstverständnis ist die Tatsache, daß der göttliche Schöpfungsakt mit dem künstlerischen Handwerk in Verbindung gebracht wurde. In frühmittelalterlichen Schöpfungsdarstellungen wurde das Universum durch einen Fingerzeig Gottes und dessen Worte (»Es werde Licht«) zum Leben erweckt. In der vorliegenden Abbildung dagegen unterzieht sich Gott dem mühevollen Schöpfungswerk.

Die gegenüberliegende Vorderseite zeigt in der ersten Szene, wie Gott Tag und Nacht voneinander trennt und damit die Zeitrechnung in Gang setzt. Sowohl die Medaillons als auch die darunter

Vorhergehende Seiten:
56 Kathedrale von Reims,
Westfassade. Der Engel der
Verkündigung 1245-1255,
die Jungfrau Maria aus der
Verkündigungsszene ca. 1230,
Heimsuchungsgruppe ca.
1230-1233

Dem unmittelbar vor dem tief
zurückgesetzten Portal
stehenden Betrachter bietet
sich folgendes Bildprogramm:
Die inneren Gewändefiguren
zeigen Mariae Verkündigung,
dann folgt die Heimsuchung,
das Treffen Marias mit ihrer
Kusine, der heiligen Elisabeth.
Das Geschehen scheint sich
nach außen, zum Betrachter
hin zu entwickeln. Im Gegensatz zu unserem linearen Zeit-
verständnis machte sich die
Gotik ein eher multimediales
Bild von der Zeit.

befindlichen, erklärenden Bilder werden durch Legenden erläutert. Diese Texte wurden erst im Anschluß an die Bilder verfaßt und widersprechen damit jener modernen Vorstellung, wonach gotische Kunst auf bereits bestehenden Schriften aufbaut. Die beigefügten Bilder sind – anders als im Klosterneuburger Altar – nicht streng typologisch, sondern stellen häufig komplexere Parallelen zwischen den Ereignissen her. So zeigt die vierte Szene die Erschaffung von Sonne, Mond und Sternen. Die darunter befindliche Interpretation setzt die Sonne mit dem göttlichen Wesen des Schöpfers gleich, während die Sterne für den Klerus stehen. In diesen Szenen wird die Erschaffung der Welt durchweg mit der Einrichtung der Kirche identifiziert. Vielfach nehmen die Legenden auf zeitgeschichtliche Ereignisse Bezug und sind eher historischer, politischer und gesell-schaftlicher denn geistlicher Natur. Die *Bible moralisée* wird immer wieder als eine massive Bildkampagne gegen Ketzer, insbesondere gegen die auf anderen Seiten abstoßend karikierten Juden, inter-pretiert. Indem die Typologie die Geschichte der Juden aus christ-licher Sicht umschrieb, regte sie gleichzeitig deren Verfolgung an. Am Auftakt der *Bible moralisée* stehen herrliche Visionen der Kirche, die später in eine furchterregende Bildpropaganda umschlagen.

Viele gotische Bildnisse zeigten Figuren aus biblischen Zeiten, die aber dennoch als zeitgenössische Personen dargestellt wurden. Dies bedeutet keineswegs, daß die damaligen Künstler naiv gewesen oder ihnen historische Irrtümer unterlaufen wären. Sie waren sich einfach nicht jener riesigen Zeitspanne bewußt, die ihre eigene Epoche von jener Jesu Christi und der Heiligen trennte. Dem biblischen Geschehen wohnten sie nicht als passive Zuschauer, sondern als aktive Mitwirkende bei. Dies belegt die Westfassade der Kathedrale von Reims, deren Gewändefiguren nicht etwa isoliert stehen, wie die Vorfahren Christi in Chartres, sondern sich einander zuwenden, um das Leben Christi darzustellen. Rechts vom Hauptportal ist die Verkündigung zu sehen, gefolgt von der Heimsuchung, der Begegnung von Maria mit ihrer Kusine Elisabeth, der Mutter Johannes des Täufers, die – als sie fühlte, wie sich ihr Kind im Mutterleib regte – als erste auf das göttliche Wesen jenes Kindes aufmerksam machte, mit dem Maria schwanger war (Abb. 56). Der erhobene Arm der älteren Frauengestalt drückt deren Erstaunen angesichts dieser inhaltsschweren Erkenntnis aus.

Die moderne Forschung befaßte sich weniger mit dem Inhalt, den diese vier Figuren verkörpern, als mit der zeitlichen Reihenfolge ihrer Herstellung. Sie stehen für drei unterschiedliche Phasen gotischer Kunst. Die Marienstatue der Verkündigung gilt gemein-hin als die älteste. Sie wurde um das Jahr 1230 von einem Bildhauer gefertigt, der zuvor einem in Amiens arbeitenden Team angehört und dort eine neue Methode der Steinbearbeitung entwickelt hatte, mit deren Hilfe sich rascher eine glatte, gleichmäßige Oberfläche erzielen ließ. Völlig anders gearbeitet sind die beiden daneben stehenden Figuren der Heimsuchungsgruppe. Der Erschaffer dieser Gestalten huldigte demselben, durch die Verwendung tiefer Falten gekennzeichneten, klassischen Stil wie der Metallbearbeiter Nikolaus von Verdun. Gleichzeitig wußte er die alternden Gesichtszüge und den allmählich erschlaffenden Körper der Elisabeth darzustellen, die in hohem Alter schwanger wurde. Der unmittelbar neben der Tür stehende Engel, der meist für rund 15 Jahre jünger gehalten wird, befand sich ursprünglich als Begleitperson am linken Portal. Er gilt für gewöhnlich als die jüngste und »gotischste« Figur der gesamten Reihe. Sein ätherischer Körper und sein strahlendes Lächeln heben ihn deutlich von den beiden äußeren Skulpturen ab. Ganz offensichtlich legten die Betrachter des 13. Jahrhunderts weit weniger Wert darauf, daß die einzelnen Teile einer dargestellten Erzählung auch logisch zusammenpaßten (Abb. 57). Ihnen dürfte kaum aufgefallen sein, daß die Figur der Elisabeth älter war oder daß der Faltenwurf ihrer Kleider antike Skulpturen imitierte. Die »naturalistische« und antikisierende Darstellungsweise in der damaligen Skulptur und Malkunst rührt nicht etwa von einer bewußten Rückbesinnung auf antike Modelle her, sondern zeugt von dem Bemühen der Bildhauer, ihren Gestalten unter Verwendung aller zur Verfügung stehenden Vorlagen eine möglichst große Lebendigkeit zu verleihen. Entgegen unserer heutigen Auffassung sollte die erzählende Darstellung nicht eine Momentaufnahme, d.h. einen einzigen, gleichsam erstarrten Augenblick wiedergeben, sondern einen längeren Zeitraum, der schließlich in ein nie endendes Hier und Jetzt mündete. Dies trifft insbesondere auf die Kreuzigungsszene und den vertraulichen Umgang zwischen Engeln und Frauengestalten zu, wie er in Reims zu sehen ist.

Nach der Definition von Kirchenvater Augustinus, der das Gedächtnis als »die Gegenwart vergangener Dinge« bezeichnete, stellen die meisten mittelalterlichen Kunstwerke eine Art Gedächtnis dar. Man war damals der Auffassung, das Gedächtnis beruhe auf mechanischen und materiellen Vorgängen. Es sei hier auf die Darstellung des Gehirns und der darin enthaltenen Kennzeichnung des magazinartigen Gedächtnisses (s. Abb. 12, S. 23) im einleitenden Kapitel dieses Buches verwiesen. Ein Leser, der sich nicht mehr an die Darstellung zu erinnern vermag, kann jederzeit zurückblättern. Für die mittelalterlichen Menschen jedoch, die keinen Zugang zu Büchern besaßen, war die Schulung des Gedächtnisses außerordentlich wichtig: Sie lernten systematisch, sich wichtige Bildnisse und Gegenstände einzuprägen. Dies geschah auf der Grundlage eines visuellen Systems, das als künstliches Gedächtnis bezeichnet wurde und die betreffenden Objekte anhand ihrer räumlichen Gestalt, bestimmter Assoziationen oder spezifischer Anordnungen wieder abzurufen verstand. Kunstwerke mußten klar gegliedert und fesselnd zugleich sein, um korrekt gespeichert werden zu können. Ungewöhnlich bemalte und gearbeitete Darstellungen wie die Skulpturen von Reims oder die stärker geometrisch strukturierten Schilderungen der Glasfenster dienten dazu, die religiösen Inhalte tief ins Gedächtnis der Betrachter einzuprägen.

Für Thomas von Aquin bestand die wichtigste Aufgabe der Bilder unter anderem darin, das Gedächtnis der Menschen anzuregen. Man ging zunehmend dazu über, an Kirchen Stifterfiguren anzu-

Oben:

57 Die Köpfe der heiligen Elisabeth und des Verkündigungsengels an der Westfassade der Kathedrale von Reims, ca. 1233 und ca. 1245-1255 (Ausschnitte aus Abb. 56)

bringen. Der ebenso wie die Sainte-Chapelle aus den vierziger Jahren des 13. Jahrhunderts stammende Westchor des Naumburger Doms enthält lebensgroße Statuen jener Personen aus der Familie der Markgrafen von Meißen, die das Bistum mehr als zwei Jahrhunderte zuvor gegründet und mit großzügigen Schenkungen bedacht hatten. Die auffallend naturalistische Darstellungsweise zeugt von des Künstlers Bestreben, Personen aus der Vergangenheit ein einprägsames Aussehen zu verleihen. Dasselbe gilt für ein weiteres prächtiges »historisches« Beispiel deutscher gotischer Bildhauerkunst: den Bamberger Reiter (Abb. 58). Von dem ursprünglich an der Außenfassade angebrachten, heute den nordwestlichen Chorpfeiler zierenden Reiter ist nicht mit Sicherheit belegt, wen er darstellt. Im Laufe der Zeit wurde er als einer der Heiligen Drei Könige, als heiliger Georg oder verschiedentlich auch als weltliche Figur, als Konstantin, der erste christliche Kaiser, als König Stephan von Ungarn oder König Konrad III. identifiziert. Die beiden plausibelsten Interpretationen sehen in ihm Kaiser Heinrich II. (1014-1024), der im Jahre 1007 das Bistum Bamberg gründete, bzw. Kaiser Friedrich II. (1220-1250), dessen besonderer Gunst es sich ebenfalls erfreute. Die jugendlichen, in hohem Maße idealisierten Gesichtszüge des Bamberger Reiters gleichen zwar eher jenen eines Ritters aus einem deutschen Heldenepos als eines zeitgenössischen militärischen Anführers, doch lassen sich angesichts des fließenden Übergangs zwischen Vergangenheit und Gegenwart in der mittelalterlichen Kunst kaum sichere Aussagen treffen. Statt weiter über die Person des Reiters zu rätseln, sollte man lieber bedenken, was er symbolisiert: die mächtige Verbindung zwischen dem Heiligen Römischen Reich und der Kirche. Die kaiserlichen Assoziationen knüpfen nicht nur an die antiken Reiterstatuen aus weit zurückliegenden Zeiten an, sondern auch an zeitgenössische Rituale wie etwa den *adventus*, bei dem der Herrscher hoch zu Roß feierlich in die Stadt einzog. Während für uns Statuen stets dem Andenken Verstorbener gewidmet sind, dienten mittelalterliche Standbilder als »lebendige Erinnerung«, deren gebieterischer Blick den Untertanen stets gegenwärtig war.

Die im 13. Jahrhundert verstärkt einsetzende schriftliche Überlieferung sowie das Aufkommen von Kloster-, Königs- und sogar Stadtchroniken gehen Hand in Hand mit diesem wachsenden Interesse an Bildern als Erinnerungsträger. Zu dieser Zeit verzierte der Mönch Matthew Paris im Kloster St. Albans seine Chronik mit schwungvollen Randzeichnungen. Die französischen Könige gaben ihrerseits ein aufwendig gestaltetes Werk in Auftrag, die *Grandes Chroniques de France*, derzufolge die Franzosen von den trojanischen Helden abstammen. Die seit Jahrhunderten den Klöstern vorbehaltene Aufzeichnung historischer Ereignisse wurde immer mehr zum Bestandteil höfischer Kultur, und eigens geschulte Chronisten untermauerten das politische Vorgehen und die Ansprüche ihrer fürstlichen Auftraggeber mit idealisierten Schilderungen. Ein solches höfisches Produkt ist die zwischen 1370 und 1380 für König Karl V. von Frankreich (1364-1380) angefertigte Prunkausgabe der

58 Der Bamberger Reiter, nordwestlicher Chorpfeiler im
Bamberger Dom, ca. 1235-1240. Stein, 2,30 m hoch

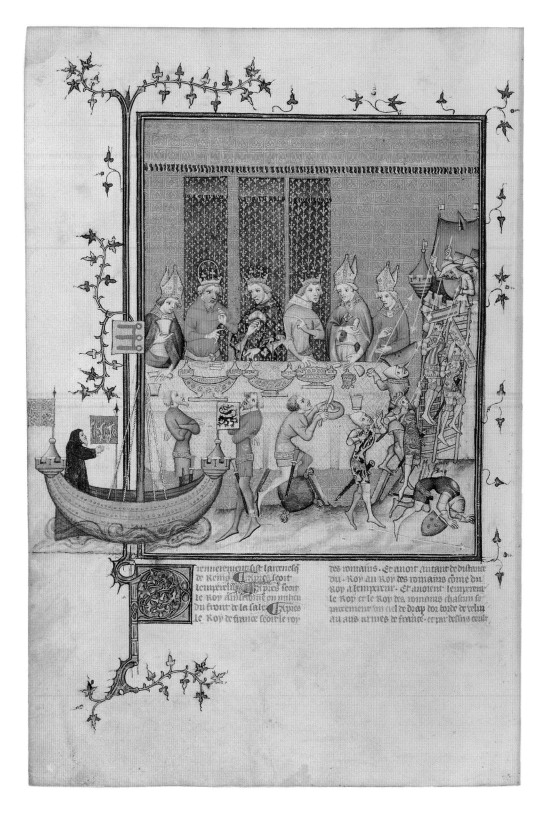

Grandes Chroniques. Sie enthält eine ganzseitige Abbildung jenes festlichen Banketts, das 1378 zu Ehren Kaiser Karls IV. (1355-1378) stattfand, als dieser seinen Sohn Wenzel nach Paris geleitete (Abb. 59). Der unmittelbar vorausgehende Text besagt, daß es sich bei der Miniatur um eine historische Aufzeichnung handelt, und betont ausdrücklich, daß die Personen genau so angeordnet waren, wie es in der Miniatur (*en l'ystoire*) dargestellt wurde. Die Miniatur wird als *ystoire* bezeichnet, was im mittelalterlichen Französisch sowohl Geschichte (im Sinne von Geschichtsschreibung), Erzählung als auch Bild heißen konnte. Diese Miniatur ist nicht nur deshalb von besonderem Interesse, weil sie die äußere Erscheinung und die Sitz-ordnung der sechs an dem Festmahl beteiligten Personen festhält, wobei die drei königlichen Teilnehmer bezeichnenderweise vor Ta-pisserien mit dem Emblem der französischen Könige, der bourbo-nischen Lilie, zu sitzen kamen. Sie zeigt gleichzeitig ein historisches Festspiel, das zu Ehren der hohen Gäste aufgeführt wurde. Das Stück schilderte, wie der berühmte französische Kreuzfahrer Gottfried von Bouillon während des Ersten Kreuzzugs Jerusalem zurückerobert hatte – ein Ereignis, das fast drei Jahrhunderte zurücklag. Solche Schauspiele waren ein fester Bestandteil des höfischen Lebens. König Karl V. hoffte, daß dieses besondere Bühnenstück die Zuschauer zu einem erneuten Kreuzzug gegen die Moslems motivieren würde. Die Darstellung des Theaterspiels ist ganz auf die Miniatur zugeschnitten und nicht etwa auf die tatsächlich herrschenden Raumverhältnisse. Das dramatische Ge-schehen wird keineswegs, der Perspektive der tafelnden Festgäste entsprechend, im Hintergrund dargestellt, sondern vielmehr im Vordergrund, wobei sich die Akteure mit den Dienern vermischen. Vergangenheit und Gegenwart, Fiktion und Realität sind – wie im Text der zugehörigen Chronik – eng ineinander verflochten.

Im Unterschied zu heute pflegte man Geschichte und Literatur damals nicht streng auseinanderzuhalten. Mittelalterliche Ritter-romane schilderten die Ruhmestaten der französischen Kreuzfahrer genauso wie die Legenden um die Tafelrunde des König Artus oder um Alexander den Großen, als ob es sich um gleichwertige Ereig-nisse handle. Könige und Aristokraten verherrlichten in Wandge-mälden und Tapisserien die Taten ihrer Vorfahren, die dort als kämpfende Ritter und tapfere Kreuzfahrer dargestellt waren. Auf diese Weise bezogen sie die Vergangenheit in die Gegenwart ein und konsolidierten ihre eigene Macht. Die Paläste und Höfe Europas wimmelten nur so von historischen Darstellungen beispielhaften Heldentums. König Karl V. hatte eine ausgeprägte Vorliebe für antike Historiker wie Livius und ließ viele lateinische Schriften ins Französische übertragen. Eine Miniatur zu einem Gedicht, das Christine de Pisan im Jahre 1403 verfaßte, zeigt die Biographin und Hofdichterin König Karls beim Betrachten der Geschichte in Form von historischen Wandgemälden, die die *Salle de Fortune* schmückten (Abb. 60). Christine schilderte ihre Erinnerung an die Darstellungen weit zurückliegender Heldentaten, die sie in einem Saal im wunderbaren Schloß der Fortuna gesehen

59 Kaiser Karl IV. und König Karl V. von Frankreich wohnen der Aufführung eines dem Ersten Kreuzzug gewidmeten historischen Schauspiels bei, *Grandes Chroniques de France*, ca. 1380. Buchmalerei auf Pergament, 35 x 24 cm. Bibliothèque Nationale, Paris

Die zu Ehren der vornehmen Gäste inszenierte Eroberung Jerusalems erfolgt – aus der Perspektive des Lesers – von links nach rechts. Das Schiff, dem die Kreuzfahrer ent-steigen und in dem sich noch Petrus Eremita befindet (der mit seinen Predigten ent-scheidend zu der Durch-führung des Kreuzzuges beigetragen hatte), ragt links noch halb über den massiven Rahmen hinaus. Dies bedeu-tet, daß das, was von außen, vom Rand her in die »reale Zeit« des Bildes vorstößt, einer anderen Wirklichkeit zuzuordnen ist – es handelt sich einerseits um ein Schau-spiel und andererseits um die Darstellung einer längst vergangenen Begebenheit.

60 Christine de Pisan betrachtet die Geschichte in Form einer Wandmalerei. *Salle de Fortune*, Paris, ca. 1410. Buchmalerei auf Pergament, ganzseitig, 35 x 25,5 cm. Bayerische Staatsbibliothek, München

hatte. Der Illuminator bildete die beschriebenen Fresken dem äußeren Rahmen entsprechend ab. Dieses besondere Bild im Bild zeigt zwei kämpfende Ritter hoch zu Roß; eine Szene, die an den beiden Seitenwänden des mit einem eleganten Tonnengewölbe versehenen Raums durch zweireihige Inschriften erläutert wird. Daß sich der Raum gerade im Schloß der Fortuna befindet, kommt nicht von ungefähr, symbolisiert es doch die Unbeständigkeit aller irdischen Dinge, die ausnahmslos dem Banne Fortunas unterworfen sind. Unglücklicherweise sind die meisten profanen Gemälde aus der Zeit von Christine de Pisan unter das Rad der Fortuna gekommen. Viele Bildnisse fielen eben jenen kriegerischen Großtaten zum Opfer, zu deren Verherrlichung sie beitrugen. Manche wurden jedoch auch infolge des sich wandelnden Kunstgeschmacks zerstört, da die nachfolgenden Generationen die Darstellung der ewigen Wahrheiten der christlichen Kirche den selbstverherrlichenden weltlichen Chroniken des lokalen Adels vorzogen. Sowohl den religiösen wie den weltlichen Darstellungen vergangener Zeiten lag die Auffassung von Bildern als Erinnerungsträgern zugrunde, die nicht nur die Taten vergangener Zeiten schilderten, sondern gleichzeitig zum Nacheifern anregten, zu Taten in der Gegenwart.

Zukunft

Wer im 13. Jahrhundert kommende Zeiten zu erforschen suchte, stieß auf keine Zukunft, sondern auf ein Ende: auf den Tag des Jüngsten Gerichts, an dem Christus erneut auf die Erde herabsteigen würde, um über die Lebenden und die Toten zu richten. Die gotische Vision vom Weltende unterscheidet sich deutlich von dessen Darstellung in romanischen Kirchen, beispielsweise in Autun oder Conques. Die Gotik widmet den Körpern der Wiederauferstandenen, mit denen sich die Betrachter identifizieren konnten, ein ganz besonderes Augenmerk. »Siehe, ich sage euch ein Geheimnis«, wendet sich Paulus an die Korinther (1. Kor. 15, 51-52), »...wir werden alle verwandelt werden, und dasselbe plötzlich, in einem Augenblick, zur Zeit der letzten Posaune. Denn es wird die Posaune schallen, und die Toten werden auferstehen, unverweslich.« Dieses Mysterium wird im Tympanon des Westportals der Kathedrale von Bourges in drei Registern dargestellt (Abb. 61). Auf dem untersten Feld sieht man die auferstandenen, wieder mit ihrem Körper vereinten Menschen aus ihren Gräbern steigen. Auf die in der Mitte des Tympanons zur Linken Christi dargestellten, den modernen Betrachter aufgrund ihrer sinnlichen, klassischen Ausstrahlung an-

61 Kathedrale von Bourges, *Das Jüngste Gericht*, Tympanon an der Westfassade, ca. 1270.
Zeit und Raum, die am Jüngsten Tag abgeschafft werden, sind unverzichtbarer Bestandteil von dessen bildlicher Darstellung. Im mittleren Register sind rechts von Christus die Seligen zu sehen, während auf seiner Linken – das lateinische sinistra bedeutet gleichzeitig »unheilvoll« – die zur Hölle Verdammten stehen. Dem Tympanon liegt auch eine zeitliche Struktur zugrunde: Die Darstellung setzt im untersten Feld ein, in dem die Toten zunächst ihren Gräbern entsteigen.

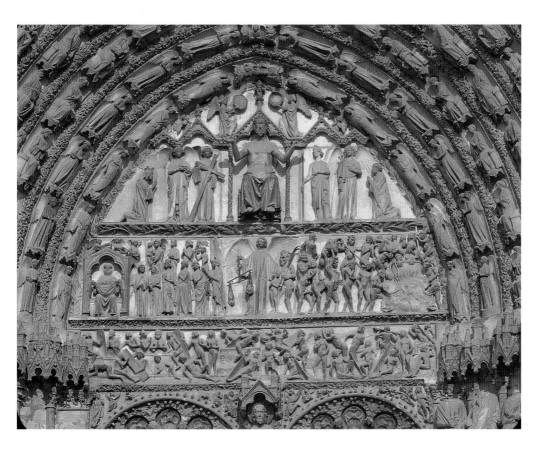

Die neue Sicht der Zeit

sprechenden Gestalten wartet der Höllenkessel. Während der klassische, antike Faltenwurf in Reims die besondere Stellung der Mutter Gottes betonte (s. Abb. 56), symbolisiert die klassische Körperlichkeit der Figuren von Bourges deren sündiges Fleisch. Die Seligen zur Rechten Christi dagegen stellen sich in Reih und Glied an, um durch einen Kleeblattbogen in den Himmel einzutreten, wo Abraham in einem Tuch Seelen für sie bereithält. Die Auserwählten von Bourges zeigen – unter Beibehaltung ihrer vertikalen und symmetrischen Wirkung – ein ähnliches Lächeln wie die Engel von Reims. Sie haben sogar ihre Tonsur oder Krone und damit ihren klösterlichen, geistlichen oder königlichen Status ins Jenseits hinübergerettet. Die als Gegenwart dargestellte Vergangenheit ließ die Zukunft umso geheimnisvoller und furchterregender erscheinen.

Wie sehr die monumentalen Darstellungen des Weltengerichts die damaligen Menschen beeindruckten, zeigt sich auch in einem für diese Epoche seltenen Beleg künstlerischen Selbstbewußtseins. In einer ganzseitigen Abbildung des Jüngsten Gerichts malte der Oxforder Illustrator William de Brailes (ca. 1230-1260) eine individuelle Sicht des Jüngsten Tages, in die er seine eigene Gestalt einbezog (Abb. 62). Williams Ängste hat man damit zu erklären versucht, daß er verheiratet war. Obwohl er auf dem Bild eindeutig eine Tonsur trägt, hatte er lediglich die niederen Weihen empfangen und war somit kein vollgültiger Priester. Von einem Engel mit Schwert buchstäblich im letzten Moment aus der Gruppe der Verdammten zur Linken Christi befreit, hält William ein Spruchband mit den Worten *W. de Brailes me fecit* (»W. de Brailes hat mich gemalt«). Vielleicht hoffte er, daß seine Funktion als Bildermacher ihn vor dem Rachen der Hölle bewahren werde, in dem bereits aberhunderte unglücklicher Seelen in qualvoller Enge litten.

Die gotische Grabskulptur bot ebenfalls Gelegenheit, sich mit der eigenen Zukunft auseinanderzusetzen. In der Regel wurden die Verstorbenen mit Blick gen Osten bestattet, damit sie sich am Jüngsten Tag in ihrem Grab aufrichten und den erneut auf die Erde herabgestiegenen Schöpfer betrachten konnten. Das Marmorgrab der Ines de Castro, die im Juni 1355 auf Geheiß von König Alfons IV. von Portugal (1325-1357) wegen ihrer Liaison mit Kronprinz Don Pedro ermordet wurde, ziert ebenfalls eine Darstellung des Jüngsten Gerichts. Kaum hatte der Kronprinz als König Peter I. den Thron bestiegen, ließ er das Grab seiner Geliebten neben seiner eigenen, mit der Inschrift »Bis an der Welt Ende« verzierten Grabstätte im Querschiff der Abteikirche Santa Maria in Alcobaça verlegen. Am Jüngsten Tag, so glaubte er, würde Ines – dem Vorbild einer kleinen Figur an ihrem Grabmal folgend – den schweren Deckel ihres Sar-

Gegenüberliegende Seite:
62 William de Brailes: *Das Jüngste Gericht*, 1230-1240. Buchmalerei auf Pergament, 27,5 x 17,5 cm. Fitzwilliam Museum, University of Cambridge

63 *Das Jüngste Gericht*, Grabmal der Ines de Castro in der Abteikirche Santa Maria zu Alcobaça, nach 1355 (Ausschnitt)

Die kunstvoll eingehüllten Füße von Ines' Statue auf dem Sarkophagdeckel scheinen förmlich darauf zu warten, zur unterhalb abgebildeten Himmlischen Stadt emporsteigen zu können. Selbst die den Sarkophag tragenden Fabelwesen richten ihre menschlich anmutenden Gesichter erwartungsvoll nach oben, zum Licht und zum Ende aller Tage.

kophages beiseiteschieben (Abb. 63) können. Das von spanischen Bildhauern vermutlich nach französischen Vorlagen angefertigte Grabmal zeichnet sich durch eine auffallend schwungvolle Darstellung des Jüngsten Gerichts aus. Christus thront wie ein irdischer König vor kleinen Engelsgestalten, die auf einem Balkon die Leidenswerkzeuge der Passion emporhalten. Auf einer sich windenden, die Trennungslinie zwischen Heil und Verdammnis symbolisierenden Straße werden die Gesegneten durch ein Portal in den Himmel geführt, dessen kuppelförmiges Gewölbe an einen zeitgenössischen spanisch-maurischen Palast erinnert.

Während in vielen Manuskripten und Skulpturen die Wiederauferstandenen am Jüngsten Tag zu »Abertausenden« aus ihren Gräbern steigen, kniet ein männliches Mitglied der Familie Bardi, das der Italiener Maso di Banco im 14. Jahrhundert malte, mutterseelenallein auf seinem Sarkophag in der trostlosen Ebene des Lebens nach dem Tode (Abb. 64). Die Marmorreliefs seines Sarkophages zeigen den Schmerzensmann und das Bardiwappen, während das Fresko an der darüber befindlichen Wand Christus als Weltenrichter darstellt, der auf seine Wundmale verweist und von Engeln umringt wird. Dieser Stifter scheint ein individuelles Jüngstes Gericht zu bekommen. Gleich anschließend und damit noch näher am Altar befindet sich innerhalb eines ähnlichen, aber kleineren architektonischen Rahmens ein von Taddeo Gaddi gemaltes, weibliches Mitglied derselben Familie. Diese Frauengestalt ist noch kühner dargestellt: Sie ist Augenzeugin von Christi Grablegung und schaut zu jener Szene oberhalb ihres eigenen Grabes auf, in der sein Leichnam bestattet wird. Die heutzutage seltsam anmutende Kombination verschiedener Zeitstufen verleiht den meditativen oder visionären Erwartungen des Stifters Ausdruck. Eine damals populäre franziskanische Schrift mit dem Titel *Meditationen über das Leben Christi* forderte die Menschen auf, sich in die zentralen Momente von Christi Leben hineinzuversetzen, sich in die Geschichte hineinzuprojizieren. Die ungewöhnlichen Darstellungen des Jüngsten Gerichts in der Franziskanerkirche Santa Croce zu Florenz legen die Vermutung nahe, daß man mit Hilfe der Kunst auch Zeitreisen in die Zukunft zu unternehmen suchte.

In der prachtvollen Dekoration privater Kapellen spielte die Zeit eine zentrale Rolle. Am beliebtesten waren Darstellungen jener von der Kirche neu eingeführten Zeitspanne zwischen Tod und Jüngstem Gericht. Das Fegefeuer, dessen Dauer man häufig mit hunderttausenden von Jahren veranschlagte, konnte in diesen Kapellen durch Gebete, Opfer und Messen abgekürzt werden. Zeit galt als Eigentum Gottes, der Mensch konnte sie weder beherrschen noch besitzen. Aus diesem Grund verurteilte die Kirche sämtliche Geldgeschäfte, den sogenannten Wucher, weil die Zinsgewinne Ergebnis der gezielten Anhäufung von Zeit waren. Wucherer suchten daher wie alle sündigen Sterblichen nach Wegen, ihre unrechtmäßig erworbenen Gewinne Gott zurückzugeben. Viele Bauten und Kunstwerke des Spätmittelalters entsprangen der Absicht, im Hinblick auf das Leben nach dem Tode Zeit zurückzukaufen. Zeit ließ

64 **Taddeo Gaddi** (1300-1366), Grabmal ca. 1335-1341. Fresko, 4,10 x 2,20 m; und **Maso di Banco** Grabmal eines Mitglieds der Familie Bardi, Santa Croce, Florenz

65 Das Rad der zehn Lebensalter des Menschen mit dem »alles sehenden« Gott im Zentrum. Psalter des Robert de Lisle, vor 1339. Buchmalerei auf Pergament, 33,8 x 22,5 cm. British Library, London

Die Kreisform diente häufig der Darstellung zyklischen Geschehens und symbolisierte sowohl den Jahreslauf als auch die weitere Zeitspanne des Menschenlebens. Da man heute das Zifferblatt immer mehr zugunsten digitaler Uhren aufgibt, neigen wir dazu, uns den Ablauf der Zeit in Zahlen vorzustellen. Mittelalterliche Betrachter machten sich dagegen von der Zeit ein eher räumliches denn ein numerisches Bild. Der König, der an jener Stelle thront, die wir für gewöhnlich mit der Ziffer 12 verbinden, stellte für die damaligen Menschen – in Anlehnung an den Sonnenstand – den herausragenden Höhepunkt des Tages dar.

sich nicht kaufen, Raum dagegen schon – wohlhabende Kaufmanns- und Patrizierfamilien wie die Bardi investierten daher einen beträchtlichen Teil ihres Vermögens in Bildnisse, mit deren Hilfe sie ihr künftiges Seelenheil zu sichern hofften.

Gegenwart

Eine Darstellung der zehn Lebensalter des Menschen enthält rund um das göttliche Antlitz in ihrer Mitte eine Inschrift: »Ich sehe alles sofort. Alles unterliegt meinem Plan« (Abb. 65). Die kreisrunde Darstellung rings um das göttliche Antlitz zeigt die verschiedenen Lebensalter des Menschen, vom Schoß der Mutter bis hin zu dem unten abgebildeten gotischen Grabmal. Solche Diagramme dienten im Mittelalter der Gedächtnisschulung. Die zitierte Abbildung stammt aus einer ganzen Reihe schematischer Darstellungen, die den Auftakt zu einem für den englischen Baron Robert de Lisle angefertigten Psalter bilden. Anders als bei der ebenfalls weitverbreiteten Kreisdarstellung des Rades der Fortuna sind hier sämtliche Aussagen auf Gott bezogen. Häufig wurde ein Zusammenhang zwischen dem Lebensalter des Menschen und dem Alter der Welt hergestellt: Die damaligen Menschen bezeichneten ihre Welt als alt und jener unten rechts im Bild zu sehenden, altersschwachen Gestalt vergleichbar, die im Zustand sittlichen und geistigen Verfalls dem Fegefeuer und dem Tag des Jüngsten Gerichts entgegenzuharren scheint. Die Unerbittlichkeit dieses Kreislaufs der menschlichen Existenz verfehlte ihre Wirkung auf Robert de Lisle offensichtlich nicht, trat er doch in fortgeschrittenem Alter in den Franziskanerorden ein, um sein Seelenheil sicherzustellen.

December calendar page with marginal illuminations

			fins quinta cimbrisin.
u			Incipit pmus cimbrisinus.
x	b		
	c	Non.	
xviii	d	viii id	Nicholai episcopi er confessons. Dupler.
vii	e	vii id	Octaue sancti andree. axinona.
	f	vi id	
xv	g	v id	
iiii	A	iiii id	
	b	iii id	Damasi pp ↄ confessons. axinona.
xii	c	ii id	
i	d	Idus.	Luce virginis ↄ martiris. simp.
	e	xix kl'	Ianuarii.
ix	f	xviii kl'	Solstitium hyemale
xvii	g	xvii kl'	O sapiencia.
vi	b	xv kl'	Sol in capricorno.
	c	xiiii kl'	
xiiii	d	xiii kl'	
iii	e	xii kl'	Thome apostoli. Dupler.
	f	xi kl'	
xi	g	x kl'	
xix	A	ix kl'	Vigilia.
	b	viii kl'	Natiuitas domini. Totum duplex.
vii	c	vii kl'	Stephani prothomis. Totum duplex.
	d	vi kl'	Iohannis apli er euang. Totum duplex.
xvi	e	v kl'	Sanctorum innocentum. Simpler.
v	f	iiii kl'	Thome episcopi ↄ martiris. Simpler.
	g	iii kl'	
viii	A	ii	kl' Siluestri pp ↄ confessons. Simpler. finis ỹ̃ni ẽ.

Der Wechsel der vier Jahreszeiten stellte das augenfälligste Symbol eines zeitlichen Kreislaufs in der Gegenwart dar. Das nördliche Portal an der Westfassade von Amiens ist einem lokalen Heiligen namens Firminus gewidmet, dessen Taten im Tympanon geschildert werden. Die tiefergelegene Sockelzone enthält die zwölf sogenannten Monatsbilder sowie die zugehörigen Tierkreiszeichen (Abb. 66). Die Darstellungen setzen rechts innen mit dem Monat Dezember – mit der Schlachtung eines Schweines durch einen Bauern – unter dem Sternzeichen des Schützen ein. Gegenüber sind die warmen Sommermonate abgebildet – von der Heuernte im Juni bis zum Traubenstampfen im September –, gefolgt von der Wintersaat im November. Häufig wird darin verklärend die Schilderung des bäuerlichen Beitrags zum Bau der geliebten Kathedrale gesehen. In Wirklichkeit stellten die Monatsbilder eine Art gesellschaftlichen Kalender dar, in dem bestimmten Monaten, etwa dem Mai, vornehmere Tätigkeiten wie Treibjagden und Falknerei zugeordnet wurden. Auch die klimatischen Unterschiede innerhalb Europas schlugen sich in der unterschiedlichen Anordnung der typischen Tätigkeiten nieder: Während die italienischen Bauern im März bereits Reben schnitten, wärmten sich die französischen noch am Feuer. Die Bauern von Amiens konnten in der Sockelzone der Kathedrale die Arbeiten auf den fruchtbaren Feldern entlang der Somme bewundern, deren Reihenfolge sich ebenso wie jene der oberhalb abgebildeten Tierkreiszeichen Jahr für Jahr im Uhrzeigersinn wiederholte. Das Aufkommen der Gotik fiel zeitlich nämlich mit der Wiederentdeckung der Astrologie zusammen, die nachhaltigen Einfluß auf das tägliche Leben nahm.

Einen ebenfalls stets wiederkehrenden zeitlichen Kreislauf stellte das Kirchenjahr bzw. der liturgische Kalender mit seiner Abfolge von Heiligentagen, von der Kirche festgelegten Feierlichkeiten und Festen dar. Die kunstvollste Darstellung des liturgischen Kalenders findet sich im Breviarium von Belleville, das der berühmte Pariser Miniaturist Jean Pucelle (ca. 1300-1334) illustrierte (Abb. 67). Das komplexe theologische Programm ist eines der seltenen Beispiele für ein ikonographisches Schema, auf das in einem beigefügten Text sowie in dem Werk selbst Bezug genommen wird. Eine von den zwei noch erhaltenen Seiten des Kalenders zeigt den Monat Dezember samt seiner unten aufgeführten »rot markierten Tage«. Neben jener Gestalt, die oben im Bild die kahlen Winterbäume fällt, finden sich auch typologische Elemente, die dem schriftlichen Programm zufolge die »Übereinstimmung des Alten mit dem Neuen Testament« belegen sollen. Zu diesem Zweck händigt am Fuß jeder Seite ein Prophet eine Weissagung an einen Apostel aus. Zacharias' Prophezeiung für den Monat Dezember lautet »Ich will deine Kinder erwecken« (Sacharja 9,13; Apokryph). Dieser Weissagung wird der Glaubensartikel von der Auferstehung und dem ewigen Leben zugeordnet. Sämtliche Propheten tragen zudem einen Stein der Synagoge weg, an die im Monat Dezember nur noch ein Häufchen Bruchsteine erinnert. Die architektonische Symbolik setzt sich oben mit der Jungfrau Maria fort, »durch die uns das Tor

67 **Jean Pucelle** (ca. 1300-1355)
Monatsbild *Dezember* aus dem Breviarium von Belleville, ca. 1323-1326. Buchmalerei auf Pergament, 24 x 17 cm. Bibliothèque Nationale, Paris

68 Blakenei

Astrolabium, 1342. Messing und andere Metalle, 21,8 cm Durchmesser.

British Museum, London

geöffnet wurde«. Maria steht oberhalb eines Tores und hält ein Banner, dessen Abbildung einen weiteren Glaubensartikel verkörpert. Dieses anspruchsvolle Programm erwies sich als derart erfolgreich, daß es über ganze Generationen hinweg die Kalender der Bücher von Mitgliedern der französischen Königsfamilie zierte. Es fand sich vor allem in den sogenannten Stundenbüchern, denen Laien ihre eigene Sammlung täglicher Lesungen und Gebete entnehmen konnten.

Die Zeit wurde oft räumlich dargestellt – nicht nur in gängigen Vorrichtungen wie Sonnenuhren oder den vor kurzem aufgekommenen Stundengläsern, sondern auch mit Hilfe komplizierter astronomischer Geräte, mit denen man die Position der Himmelsgestirne bestimmte, wie etwa das Astrolabium. Dessen Form hatte man, zusammen mit einer Vielzahl wissenschaftlicher, vor allem die Optik betreffender Abhandlungen, auf dem Umweg über das muslimische Spanien von den Arabern übernommen. Die arabischen Vorbilder wurden gotisch überformt, wie ein im Britischen Museum verwahrtes Astrolabium von 1342 mit der Inschrift *Blankenei me fecit* (Abb. 68). Der Schäkel, der die Aufhängevorrichtung mit der Basis, der sogenannten »Mater« verbindet, ist mit gotischem Maßwerk verziert und von einem zierlichen Kleeblatt durchbrochen. Das Sternnetz oder die »Rete«, die zu der komplizierten, beweglichen Rechenvorrichtung auf der Basis gehört, präsentiert andere gotische Formen wie das Vierpaßmaßwerk. Zwei Sternzeiger der Rete sind gotischen Fabeltieren nachempfunden. Ein solches Astrolabium diente unter anderem dazu, anhand des Sonnenstandes oder der Position eines der auf der Rete aufgezeichneten Sterne die genaue Tages- oder Nachtstunde zu bestimmen. Als raffinierteste Rechenmaschinen des Mittelalters waren die Astrolabien in den meisten Fällen derart aufwendig gestaltet, daß sie regelrechte Kunstwerke darstellten. Die Geschichte der gotischen Kunst und Architektur sollte daher stets im Rahmen der Entwicklung der Naturwissenschaften und Technik betrachtet werden, mit der sie untrennbar verbunden ist.

In den dreißiger Jahren des 14. Jahrhunderts – zu jener Zeit, da Giotto und seine Schüler mit ihrer neuen Darstellung des Lichts die Raumwirkung revolutionierten – kamen infolge der Erfindung des

Hemmungsmechanismus′ die ersten mechanischen Uhren auf, deren Glockenschläge die jeweilige Stunde ankündigten und damit die Wahrnehmung der Zeit auf eine völlig neue Grundlage stellten. Der Tag konnte fortan in gleich lange Stunden eingeteilt werden. Im Lauf des 14. und 15. Jahrhunderts hielten in den westeuropäischen Städten öffentliche Uhren und eine ganz neue Zeitrechnung Einzug. Diese Veränderung ging mit dem neuen Interesse an der Erfassung des Raumes einher, das sowohl in Italien als auch nördlich der Alpen die Abkehr von eschatologischen Darstellungen, die verschiedene Zeitstufen in einem Bild vereinigten, zur Folge hatte. So wie die neuen Uhren der verwirrenden Polyphonie der verschiedenen Glocken und Sonnenuhren ein Ende bereiteten und sie durch ein einziges Instrument ersetzten, kam auch die Schilderung linearer, innerhalb eines einzigen, einheitlichen Raumes stattfindender Handlungen auf.

Die neuen Uhren dienten aber nicht nur weltlichen Zwecken. Jean Fusoris (ca. 1365-1436) richtete in den zwanziger Jahren des 15. Jahrhunderts in der Kathedrale von Bourges eine mechanische Uhr ein. Die neue Erfindung fand sogar Eingang in die religiöse Allegorie, wie Heinrich Seuses *Horologium sapientiae* (»Die Uhr der Weisheit«), ein um 1334 entstandener Dialog zwischen dem Verfasser und der allegorischen Frauengestalt der »Ewigen Weisheit«, belegt (Abb. 69). Dieser Dominikanertraktat sollte – einem Wecker gleich – »die Trägen aus ihrem sorglosen Schlaf reißen und zu christlicher Tugend anhalten....daher schildert das vorliegende Büchlein die Gnade des Heilands in Form einer Vision und bedient sich der Metapher einer hübschen Uhr mit einem feinen Räderwerk und einem herrlichen Glockenspiel von geradezu himmlischem Klang« (Prolog). In einer reich illustrierten Pariser Handschrift aus der Mitte des 15. Jahrhunderts – als sich die neue Zeitrechnung bereits allgemein durchgesetzt hatte – wenden sich Bild und Text vom gotischen Stundenmaß ab. Die Weisheit tritt dem Verfasser im Gewand der Mäßigung und inmitten einer Reihe von Zeitmessern entgegen. Die Ausstellung zeigt ein Astrolabium, eine Uhr, die mit Hilfe der ganz oben auf der Seite hängenden Glocke die Stunden schlägt, eine weitere, riesige mechanische Uhr mit fünf Glocken sowie auf einem Tisch fünf kleinere, tragbare Zeitmesser, darunter einen mit Federmechanismus. Die abgebildeten Geräte verfügen jedoch nach wie vor über gotische Gehäuse und Verstrebungen, ebenso wie der zugehörige Text sich für seine allegorische Schilderung ewiger Werte traditioneller theologischer Tropen bedient. Am meisten beeindruckt die illusionistische Glocke in *trompe l'oeil*-Manier, die oberhalb der beiden Textspalten abgebildet ist und deren langer Glockenzug bis zu den Händen der »Ewigen Weisheit« herabreicht. Links blickt ein frommer Dominikaner von seinem Buch auf, um die Vision von der Zeit und von deren kluger Ordnung zu betrachten. Ungeachtet der tiefen Raumwirkung und der mit sorgfältiger Genauigkeit dargestellten mechanischen Apparate fügt sich diese Seite ebenso wie der gesamte Text immer noch in den Rahmen einer gotischen, visionären Perspektive ein.

Folgende Seiten:
69 Heinrich Seuse
(ca. 1295-1366)
Die Uhr der Weisheit
(*Horologium Sapientiae*), ca.
1334. Buchmalerei auf
Pergament, ganzseitig, 37 x
25,5 cm. Bibliothèque
Royale, Brüssel

Bemerkenswerterweise ist unter den zur Schau gestellten Zeitmessern und Uhren ein Astrolabium zu sehen, doch präsentiert die personifizierte Weisheit dem internen Betrachter ein geöffnetes Buch. Die Zeit des Textes und die umgeblätterte Seite der Heiligen Schrift sind nach wie vor von allergrößter Wichtigkeit und nicht durch die Glocken und Uhren der meßbaren Zeit zu ersetzen.

Kapitel 3

Die neue Sicht Gottes

70 Meister Francke (tätig frühes 15. Jahrhundert) *Schmerzensmann*, ca. 1420. Tempera auf Holz, 42,5 x 31,5 cm. Museum der Bildenden Künste, Leipzig

Die plastische Wirkung des scheinbar zum Greifen nahen Körpers Christi wird durch die fünfblättrigen Rosen des urspünglichen Rahmens zusätzlich unterstrichen – diese Rosen symbolisieren in der mystischen Tradition ebenfalls das Blut oder die Wunden Christi.

D ie neue Sicht Gottes in der gotischen Kunst wurde in erster Linie durch seine Abwesenheit geprägt. Jesus hatte, als er gen Himmel auffuhr, seinen Jüngern keine leibhaftigen Überreste zur Verehrung hinterlassen. Aus diesem Grund gewannen die mit seinem Ableben verbundenen Gegenstände, allen voran das Kreuz, für das Christentum allergrößte Bedeutung. Der Legende nach entdeckte die heilige Helena, die Mutter Kaiser Konstantins, um das Jahr 300 das Heilige Kreuz. Erste Splitter gelangten allerdings erst ab 1204 in den Westen, als Kreuzritter auf ihrem Weg in das Heilige Land Konstantinopel, die Hauptstadt des oströmischen Reiches, eroberten. Sie brachten viele Bildnisse, Ikonen und Reliquien als Beute mit nach Hause. Eines der winzigen Kreuzpartikel aus dcm Bcsitz des lateinischen Kaisers von Byzanz, Balduin I. von Flandern (1204-1205), vermachte dessen Bruder, Philipp der Edle, Graf von Namur, der Prämonstratenserabtei Floreffe im heutigen Belgien, wo es später in einem prachtvollen gotischen Reliquiar in Form eines Triptychons aufbewahrt wurde (Abb. 71). Während sich innerhalb der Ostkirche eine stark auf Bilder ausgerichtete Lehre herausgebildet hatte, derzufolge die Ikonen am göttlichen Wesen ihres Prototyps teilhatten, wurden im Westen einzig und allein Reliquien als heilige Gegenstände verehrt.

Reliquien wurden wundertätige Eigenschaften zugeschrieben. Das Triptychon von Floreffe wurde erst angefertigt, nachdem die Reliquie am 3. Mai 1254 anläßlich der Messe zur Feier der Kreuzauffindung Blutstropfen abgesondert hatte. Da tausende »unechter« Kreuzpartikel den Reliquienmarkt überfluteten und sich eine schleichende Inflation einstellte, war es für die Mönche von Floreffe von großer Wichtigkeit, daß sich die Echtheit ihrer kostbaren Reliquie durch ein solches Wunder offenbarte. Der künstlerische Rahmen, mit dem man die verehrungswürdigen Gegenstände umgab, diente deren theatralischer Inszenierung, der Zurschaustellung ihrer wundertätigen Kräfte. Die Reliquienverehrung war den Gläubigen des Westens keineswegs unbekannt, sondern entsprach einer jahrhundertealten religiösen Tradition. Neu dagegen war, daß im gotischen

71 Kreuzreliquiar von
Floreffe, nach 1254. Silber
und vergoldetes Kupfer,
Filigran, Edelsteine und Niello,
in geöffnetem Zustand
72 x 90 cm. Musée du
Louvre, Paris.
Der in Form einer gotischen
Miniaturkapelle gearbeitete,
mit Fialen und Spitzgiebeln
verzierte Schrein stellt –
geöffnet – in seinem Zentrum
ein blühendes Kreuz zur
Schau, das von zwei Engeln
emporgehalten und von
kleineren, dreidimensionalen
Szenen aus der Passions-
geschichte flankiert wird.

Zeitalter der Unterschied zwischen der Reliquie und dem Reliquiar – wie jener zwischen der Ikone und dem Bild – zusehends verwischte. Im Falle des Triptychons von Floreffe verehrte man mit der Zeit mehr die prachtvoll gestaltete Hülle als den darin verwahrten Inhalt. Auch früher hatten Reliquien scharenweise Pilger angezogen, doch konnten diese die Anwesenheit des in der Schatulle verwahrten Heiligtums nur erahnen oder bestenfalls durch ein steinernes Gitter einen flüchtigen Blick auf die Reliquie werfen. Allmählich ging man dazu über, heilige Gebeine in durchsichtigen Behältnissen zur Schau zu stellen (Abb. 72) oder sie (entgegen der ursprünglichen Absicht) in einem derart kostbaren Gehäuse zu präsentieren, daß die eigentliche Reliquie fast ins Hintertreffen geriet.

Die im 13. Jahrhundert verstärkt einsetzende Begeisterung für Bilder, die man als gotische Bilderexplosion bezeichnen könnte und ein ganzes Repertoire neuer Themen und Motive nach sich zog, läßt sich kaum mit der heutigen Bilderflut in den Massenmedien vergleichen. Heiligen Darstellungen wohnten viel zu viele Kräfte inne, als daß sie einfach blindlings – ohne Rücksicht auf ihren Empfänger oder auf ihre spezifische Bestimmung – in Umlauf gebracht worden wären. Für besondere Andachtszwecke wurden je nach der gesellschaftlichen Zielgruppe unterschiedliche Bildtypen entwickelt: für religiöse oder mildtätige Zwecke verfolgende Laienbruderschaften, für weltliche Zusammenschlüsse wie die Beginen ebenso wie für religiöse Orden oder im Kloster lebende Mönche und Nonnen. Nichtsdestoweniger zeichnete sich das gotische Zeitalter vor allem dadurch aus, daß auch das einfache Volk Zugang zu religiösen Darstellungen bekam und zwar nicht nur im institutionellen Rahmen der Kirche, sondern auch zunehmend im Rahmen einer festen Gemeinschaft.

Klöster und Kirchen

Der Chor der Kathedralen war für gewöhnlich durch eine große steinerne Schranke (*pulpitum*) oder einen Lettner (*jubé*) vom Schiff getrennt, welche die dahinter befindlichen Kleriker vom Laienvolk abschirmten. Während man diese Chorschranke in Chartres und Amiens später entfernte, ist im Naumburger Dom ein mit herrlichen Skulpturen verzierter Lettner aus der Mitte des 13. Jahrhunderts erhalten (Abb. 73). Die obere Reihe des Lettners enthält ein durchlaufendes Relief mit Szenen aus der Passionsgeschichte; besonders fallen jedoch die lebensgroßen Figuren des vorgesetzten Giebelportals ins Auge, durch das man in den Chor gelangt. Meistens standen die drei Gestalten der Kreuzigungsgruppe – der gekreuzigte Christus samt der trauernden Maria und dem Apostel Johannes – oben auf dem Lettner. In Naumburg dagegen waren sie auf der Höhe der Gläubigen angebracht. Maria sieht in ihrem Schmerz den Betrachter an, als wolle sie sagen »Schau her!«, während auf der anderen Seite der Evangelist Johannes den Betrachter ebenfalls ins Bild einbezieht, indem er ihn näher an Christus herantreten läßt. Anders als die Figuren an gotischen Fassaden wie etwa jener von Reims beschränken sich die Naumburger Statuen nicht auf die bloße Darstellung biblischer Begebenheiten. Schluchzend und in Tränen aufgelöst, vor Verzweiflung die Hände ringend, laden sie dazu ein, sich emotional mit ihnen zu identifizieren, sich in ihre leidenden Mienen einzufühlen und die eigenen Empfindungen in sie hineinzuprojizieren. Christi schlaff herabhängender, geschundener Körper kündet gleichermaßen von einer neuartigen, naturalistischen Darstellungsweise. Christi Leichnam steht inmitten jener Schwelle, die vom Kirchenschiff in den Mönchschor führt, so daß die Geistlichen buchstäblich durch seinen Körper hindurchmußten, um in das Allerheiligste zu gelangen.

Jenes Klischee, wonach die gotische Skulptur im Lauf des 13. Jahrhunderts »zu Leben erwacht«, birgt durchaus einen wahren Kern: Die zunehmend einfallsreichere Darstellungsweise der Kunst führte dazu, daß die Menschen sich dem lebendigen Gott viel näher verbunden fühlten. Selbst allen Menschen zugängliche Kreuzigungsszenen konnten völlig unvermutet ein Eigenleben entwickeln

72 Linke bzw. nördliche Kristallröhre und Reliquie aus dem Dreiturmreliquiar, 1370-1390 (Ausschnitt aus Abb. 25, S. 38). Ziseliertes und vergoldetes Silber, Emaille und Edelsteine, 93,5 cm hoch. Aachener Domschatz

73 Naumburger Dom, Lettner mit Kreuzigungsszene, ca. 1245-1260

Jenseits der Kreuzigungsgruppe des Lettners sind an der Chorwand zwei der insgesamt zwölf Gründerfiguron dor woltliohon Ctifter zu sehen, die gleichsam als Zeugen der im Chor stattfindenden Messen beiwohnen. Den oberen Bereich des Lettners ziert ebenfalls eine Serie wundervoller naturalistischer Darstellungen.

und den Betrachter ansprechen, so wie sich das Kreuz in San Damiano an den heiligen Franz von Assisi (1182-1226) wandte. Dieser mystische Augenblick wurde später in einem Fresko in der Oberkirche von Assisi verewigt: als Teil eines Zyklus mit Szenen aus dem Leben des heiligen Franz, den manche Kunsthistoriker nach wie vor mit Giotto in Verbindung bringen (Abb. 74). Das – heute noch erhaltene – Kruzifix zeigt den um 1200 üblichen romanischbyzantinischen Typus. In einem gotischen Fresko wird somit ein romanisches Bildnis verehrt. Die dargestellte Szene belegt, wie sehr sich die italienische Bildertradition von der nördlichen unterschied. In Frankreich und Deutschland bevorzugte man bei der Ausstattung der Kirchen nämlich dreidimensionale Altarfiguren oder große Skulpturen wie beispielsweise in Naumburg, während in Italien noch die byzantinische Tradition der Wand- und Tafelmalerei vorherrschte. Bei sämtlichen wundertätigen Bildnissen handelte es sich nicht etwa um Statuen, sondern um zweidimensionale Gemälde.

In San Damiano forderte der Gekreuzigte von dem Bildnis herab den jungen Franz auf: »Gehe und richte mein Haus wieder her.« Die *Imitatio Christi* war ein zentrales Moment mittelalterlicher Frömmigkeit, und zahllose Bildnisse lieferten Vorlagen für diese religöse Nachahmung. Als der heilige Franz später die Stigmata, die Wundmale Christi, am eigenen Körper empfing, wurde er seinerseits zu einem Vorbild für seine Schüler. Wohl hatte Franz von Assisi das Gelübde der Armut hervorgehoben, doch wiesen bereits in den ersten Jahrzehnten nach der Ordensgründung im Jahr 1209 einige

74 *Der hl. Franz von Assisi hält Zwiesprache mit dem Kruzifix*, ca. 1295. Fresko in der Oberkirche von San Francesco, Assisi.
In Italien waren es eher Gemälde, die unvermutet zu Leben erwachten.

75 *Der heilige Franz von Assisi empfängt die Stigmata*, 1235-1245. Barfüsserkirche, Erfurt

Während in italienischen Tafelgemälden Hände und Füße des Gekreuzigten durch Lichtstrahlen mit den Extremitäten des hl. Franz verbunden sind, wird hier die Kraft des Lichtes durch das Medium des Buntglases eindrucksvoll wiedergegeben.

weiter entfernt liegende Franziskanerkirchen wie etwa jene zu Erfurt prachtvolle Glasmalereien auf, die unter anderem den Empfang der Stigmata durch den heiligen Franz zeigen (Abb. 75). Die Franziskaner griffen für ihre religiöse Überzeugungsarbeit mit besonderer Vorliebe auf bildliche Darstellungen zurück. Franz von Assisi ließ zu Weihnachten 1223 im Wald bei Greccio die erste Krippe aufstellen, um den Gläubigen eine »lebendige Darstellung« von Christi Geburt vor Augen zu führen. Thomas von Celano, ein befreundeter Ordensbruder, schreibt in seiner Biographie des heiligen Franz, daß dieser die Mysterien Christi »mit seinen körperlichen Augen zu sehen wünschte«. Dem Bild wurde somit eine grundlegend neue Funktion zugeschrieben. Es diente nicht mehr der

Darstellung dessen, was sich dem menschlichen Auge entzog, sondern betonte vielmehr die Rolle der natürlichen Sehkraft bei der Wahrnehmung des Göttlichen.

Die engste Beziehung zu Gott entwickelten die meisten Menschen während der Messe, wenn – Christi Tod nachvollziehend – sein Leib in der geweihten Hostie gegenwärtig wurde. Die geweihte Hostie war mehr als ein Symbol: Sie war einer Art Reliquie vergleichbar, von der echte Kraft ausging. Nachdem 1264 das Fronleichnamsfest eingeführt worden war, nahm die Hostienverehrung spürbar zu. Im 14. Jahrhundert wurde in England hauptsächlich für Laien ein illustrierter »Leitfaden« für die Messe verfaßt, dessen Abbildungen den Betrachter mit den einzelnen liturgischen Handlungen vertraut machen, während im Text erläutert wird, wie die Gläubigen sich im betreffenden Augenblick zu verhalten und was sie sich im jeweiligen Moment zu vergegenwärtigen haben (Abb. 76). Der Höhepunkt der Messe bestand in der mitten während der Messe erfolgenden Wandlung der Hostie. Die Wandlung der kreisrunden Oblate wurde nach den Worten der Weihe vollzogen, wobei – wie links dargestellt – ein Meßdiener die Wandlungsglocke läutete. Neben einer Darstellung der weltlichen Handlungen enthält der Leitfaden auch deren geistliche Bedeutung in Form eines Bildes im Bilde, das jedoch den Rahmen des ersten sprengt und gegen einen farbenkräftigen Hintergrund abgesetzt ist. Dies symbolisiert eine höhere Ebene der Vision, da die Gläubigen in der geweihten Hostie den Leib Christi gewahrten.

Im Lauf der Messe wurden – dank der Rituale, der kostbaren liturgischen Gerätschaften und Gewänder, des Glockenklangs, des Weihrauchdufts sowie des Berührens und Verspeisens der Hostie –

76 *Die Wandlung der Hostie.* Meßbuch für Laien, ca. 1320. Buchmalerei auf Pergament, 20,5 x 13 cm. Bibliothèque Nationale, Paris

Der die Messe zelebrierende Priester wendete sich neuerdings nicht mehr wie früher den versammelten Geistlichen, sondern drehte ihnen den Rücken zu und blickte zum Altar. Dieser Wandel in der Liturgie dürfte nicht ohne Wirkung auf die Ausgestaltung der Altarbilder und Retabeln geblieben sein, die dem Priester und den im Chor versammelten Geistlichen zur Anschauung dienten. In der vorliegenden Miniatur bringt jedoch kein Altarbild, sondern das Kreuz zum Ausdruck, worauf die Gläubigen sich in diesem zentralen Augenblick konzentrieren sollen.

77 Der heilige Thomas legt seine Hände in Christi Wunden. Sogen. *Syon Cope*, ca. 1300 (Ausschnitt). Stickerei, Gesamthöhe des Gewandes 1,47 m. Victoria und Albert Museum, London

Obwohl nicht viele mittelalterliche Textilien erhalten sind, waren die Kirchen voller kostbarer, mit Gold- und Silberfäden durchwirkter Gewebe, welche die Altäre schmückten und im flackernden Kerzenlicht schimmerten, oder – wie im Falle dieses liturgischen Gewands – durch die gemessenen Bewegungen der sie tragenden Priester zur Geltung kamen.

nahezu alle menschlichen Sinne angesprochen. Ein prächtig verzierter Chormantel belegt den dringenden Wunsch, die göttliche Botschaft mit den eigenen Händen erfühlen zu können. In der Szene mit dem ungläubigen Thomas legt Christus dessen Hände in seine eigenen Wundmale (Abb. 77). Aus heutiger Sicht handelt es sich hierbei um ein beeindruckendes Beispiel des *opus anglicanum* – jener kunstvollen englischen Stickereien, die in ganz Europa berühmt waren. Das kostbare, halbkreisförmige Stück liegt heute flach ausgebreitet in einer Vitrine. Die rechts oben dargestellte, eigentümliche Szene mit dem ungläubigen Thomas zierte ursprünglich die linke Brust des den Chormantel tragenden Geistlichen. Die entsprechende Szene auf der rechten Brusthälfte zeigt ebenfalls eine Erscheinung Christi *post mortem*, bei der der soeben Wiederauferstandene vor Maria Magdalena steht und ihr gebietet: *Noli me tangere* (»Berühre mich nicht«). Falls der Chormantel für ein Frauenkloster angefertigt wurde – zumindest ging er später in den Besitz eines solchen über –, gab man den Nonnen auf dem Gewand des die Messe zelebrierenden Priesters eindeutig zu verstehen, daß die Geschlechter alles andere als gleich behandelt wurden. Während die eine Seite des Gewandes davon kündet, daß ein weiblicher Jünger Christi diesen nur ansehen darf, kommt auf der gegenüberliegenden Seite ein männlicher Jünger mit Gott viel enger in Berührung. Wenn sich der Priester während der Messe dem Altar zuwandte und somit der Gemeinde den Rücken zukehrte, waren im übrigen beide Darstellungen verdeckt.

Der wachsende räumliche Abstand, der sich zwischen der Zelebration der Messe und der versammelten Gemeinde auftat, führte dazu, daß die Gläubigen sich anderen, persönlicheren Frömmigkeitsübungen zuwandten. Halböffentliche und kommunale Gebäude wurden errichtet, um darin neue Bildtypen zur Schau zu stellen. Im Jahr 1285 beauftragte die religiöse Bruderschaft der Compagnia dei Laudesi an der Dominikanerkirche Santa Maria Novella zu Florenz den Sieneser Maler Duccio di Buoninsegna (ca. 1255-1319) mit der Anfertigung eines großen Gemäldes, das laut Vertrag »so schön wie nur irgend möglich« werden und »die gesegnete Jungfrau Maria, deren allmächtigen Sohn sowie nach Belieben der Mäzene weitere Heiligengestalten enthalten« sollte. Buoninsegna mußte das Tafelbild auf eigene Kosten vergolden und sich »für die Schönheit des Ganzen ebenso wie für die sämtlicher Details verbürgen« (Abb. 78). Aus diesem seltenen Vertragswerk geht hervor, daß die Bruderschaft eine Kultstätte zu errichten beabsichtigte. Duccio bewältigte die gestellte Aufgabe mit Bravour – sein Madonnenbild erwies sich als derart erfolgreich, daß es über Generationen hinweg in der Kapelle verblieb und eigens beleuchtet wurde. Dabei handelte es sich nicht um ein irgendwelchen liturgischen Zwecken dienendes

78 Duccio di Buoninsegna (ca. 1255-1319) *Rucellai Madonna*, 1285. Tempera auf Holz, 4,5 x 2,9 m. Uffizien,
Florenz

Rechts, gegenüberliegende
Seite und rechtsaußen:
79 Claus Sluter († 1406)
Herzog Philipp der Kühne und
seine Gemahlin werden der
Jungfrau Maria präsentiert.
Steinerne Figuren am Portal der
Herzogskapelle in der Kartause
Ohampmol, Dijon, 1385-1393

Die Anordnung der Skulpturen
rund um das Portal und am
zentralen Türpfeiler ist aus der
kleineren Darstellung ganz
rechts ersichtlich.

Altargemälde, und es besaß auch keine Flügel. Das Bild stand vielmehr im Mittelpunkt der gemeinsamen Frömmigkeitsübungen und
diente dabei der religiösen Inspiration. Wie die meisten neuen Andachtsbilder stellte es keine den Evangelien entnommene Begebenheit dar, sondern eine neuartige Veranschaulichung einer theologischen Vorstellung: das menschliche Wesen Christi.

Italienische Madonnenbilder zeigten prachtvolle Frauengestalten, die – obwohl im Himmel thronend – direkt aus der zwei-

dimensionalen, goldenen Welt ihres Gemäldes auf die andächtigen Gläubigen herabblickten. Nördlich der Alpen wurde Maria meist in Form schwungvoller, in Stein oder Elfenbein gehauener Statuen verehrt, die durch ihre eleganten höfischen Gewänder auffielen und das Christuskind raffiniert auf der Hüfte hielten. Diese bildhauerische Version einer Mariendarstellung, die sogenannten »Schönen Madonnen« Deutschlands oder die aus Gold und Elfenbein gearbeiteten Statuetten in Paris, verkörperte eine völlig andere Art

eines öffentlichen Andachtsbildes. In dieser Aufmachung präsentierte sich die Muttergottes Herzog Philipp dem Kühnen und dessen Gemahlin Margarete von Flandern am Trumeaupfeiler jenes Portals, das der niederländische Bildhauer Claus Sluter († 1406) für die unweit von Dijon gelegene Kartause von Champmol schuf (Abb. 79). Die überkragenden Baldachine, ja selbst die Konsolen, auf denen die Stifterfiguren stehen, wirken wie die Requisiten eines Theaterstücks und scheinen in keiner Weise an der Handlung der an ihrer Seite befindlichen Figuren beteiligt zu sein. Selbst das Jesuskind, ein im Vergleich zu Duccios majestätischer Puppe eher drall wirkendes Baby, blickt nach oben, dorthin, wo einst Engel die Leidenswerkzeuge der Passion hielten. Den beiden wie bei Hofe niederknienden Stifterfiguren stehen Johannes der Täufer und die heilige Katharina, die beiden Schutzheiligen des burgundischen Herzogshauses, zur Seite. Wenn dieses Portal – wie alle Skulpturen Sluters – auf den modernen Betrachter schon wie ein regelrechtes ›Happening‹ wirkt, wie sehr muß es dann erst das in ihm dargestellte Herrscherpaar beeindruckt haben, wenn es sich zur Andacht in seine Privatkapelle begab.

Das private Andachtsbild

In gotischer Zeit setzte auch der persönliche Erwerb von Andachtsbildern zu privaten Zwecken ein. Ein typisches Beispiel hierfür ist jenes Marienbildnis, das laut Schilderung des Mirakels der »Mutter Gottes von Sardenay« oder »Sardanei« ein Mönch in einem Devotionalienladen erstand. Das Mirakel ist Teil der *Cántigas de Santa María* – jenes umfangreichen Kompendiums mit 1800 Illustrationen zu Marienwundern, das für König Alfons X. von Kastilien und Leon (1252-1284) zusammengetragen wurde und von zahlreichen wundertätigen Marienstatuen berichtet, die meist in Not geratenen Menschen zu Hilfe eilen. Die oben zitierte Schilderung ist schon deshalb ungewöhnlich, weil sie davon handelt, daß eine Frau ein eigenes Madonnenbildnis zu besitzen wünscht. Das erste Bild zeigt eine Einsiedlerin, die in Damaskus ein zurückgezogenes Dasein fristet und einen durchreisenden Mönch ersucht, er möge ihr aus Jerusalem ein Gemälde der Jungfrau Maria mitbringen. Nachdem der Mönch das Heilige Grab aufgesucht hat, ersteht er in der dritten Szene bei einem mit Ikonen und Kreuzigungsdarstellungen handelnden Kaufmann ein Madonnenbild. Als er gewahrt, daß ihn das Bildnis vor Räubern und wilden Tieren zu beschützen vermag, beschließt er in der vierten Szene, das kostbare Stück seinem eigenen Orden zuzuführen. Die Heimreise tritt er daher auf dem Seewege an, um Damaskus zu umgehen, doch zwingt ihn ein Sturm zur Umkehr. Er betrachtet dies als Fingerzeig der Jungfrau Maria, die ihm hiermit kundtut, daß ihr Bildnis der rechtmäßigen Eigentümerin ausgehändigt werden soll, was in der Schlußszene geschieht. Drei Aspekte dieser Bildererzählung sind von besonderem Interesse. Erstens stammt das Madonnenbild aus

Gegenüberliegende Seite:
80 Wundersame Begebenheiten im Zusammenhang mit dem Kauf eines Marienbildnisses. *Cántigas de Santa María*, ca. 1280. Buchmalerei auf Pergament, ganzseitig, 33,4 x 23 cm. Escorial, Madrid

Folgende Seiten:
81 Böhmischer Meister
Diptychon mit Madonna samt Christuskind auf dem einen und dem Schmerzensmann auf dem anderen Flügel, ca. 1350. Tempera auf Öl, (je 25 x 18,5 cm mit Rahmen). Kunsthalle Karlsruhe

Die Jungfrau Maria und das Christuskind folgen, ungeachtet ihrer neuartigen Wirkung, dem byzantinischen Vorbild der Glykophilusa, in der das Kind zärtlich an das mütterliche Kinn greift. Sowohl das Madonnenbild als auch der Schmerzensmann dürften daher einer importierten Vorlage nachempfunden sein.

dem Heiligen Land und war Eigentum einer Nonne, d.h. einer gesellschaftlichen Gruppierung, die – wie im weiteren geschildert wird – bei der Entwicklung neuer Beziehungen zu Bildern eine besonders wichtige Rolle spielte. Zweitens erwachte die Madonna, anders als in vielen anderen Mirakeln dieser Handschrift, nicht etwa zu eigenem Leben, um dem Bilderrahmen zu entsteigen. Das bloße Bild bewirkte bereits Wunder. Drittens wurde das Gemälde wie zahllose andere wundertätige Bilder in der Schlußszene auf einen Altar gestellt und entwickelte sich unter Umständen zu einem Gegenstand öffentlicher Verehrung.

Ein kleines, tragbares Andachtsbild, wie die Nonne es sich gewünscht hatte, ist auch auf einem Flügel eines Diptychons zu sehen, das in der zweiten Hälfte des 14. Jahrhunderts nicht im Nahen Osten, sondern in Böhmen angefertigt wurde (Abb. 81). Damals war es üblich, Madonnenbrustbilder mit einem anderen importierten Bildtyp, dem sogenannten Schmerzensmann, zu kombinieren. Dieser zeigte den toten Christus mit geschlossenen Augen und gekreuzten Armen – eine Pose, die infolge einer bestimmten, wundertätigen Ikone in Rom weitere Verbreitung fand. Dank der ungewohnten Zusammenstellung entfaltete das Bildnis des Schmerzensmannes jedoch eine ganz neue Wirkung. Der Kontrast zwischen dem toten Christus einerseits und dem verspielten Kind andererseits wird durch die Haltung der Maria unterstrichen, die das künftige Leiden ihres Sohnes zu betrachten scheint. Sie verkörpert jene *contemplatio* oder Kontemplation, in welche die Betrachter vor dem Bildnis versanken, und zugleich die *compassio*, das Erbarmen, in welchem sich der Betrachter mit Christus identifizierte.

82 Andachtsbüchlein mit den *arma Christi* (Dornenkrone, Christus anspuckender Jude, Essigschwamm und Wunde), ca. 1330-1350. Bemaltes Elfenbein, 10,5 x 6 cm. Victoria und Albert Museum, London

Dieses spürbare Verlangen, die Passionsgeschichte nicht nur anzuschauen, sondern sich in sie hineinzuprojizieren, kommt in einer Vielzahl von Andachtsbildern zum Ausdruck. Unmittelbar mit jenen Gegenständen in Berührung zu kommen, mit denen Christi gefoltert worden war, scheint für die damaligen Menschen besonders wichtig gewesen zu sein. Wie bereits erwähnt, fanden sich im Skulpturprogramm der Kathedralen immer wieder die Passionswerkzeuge, die durch Engel gehalten wurden; einzelne Objekte wie die Dornenkrone oder die Rute aus der Geißelszene wurden als Reliquien zur Schau gestellt.

Diesen Symbolen für Christi Sieg über den Tod begegnete man später mit schauerlicher Faszination. Zunehmend trachtete man danach, winzige Nachbildungen der Passionswerkzeuge zu bekommen und als persönlichen Besitz zu verwahren, wie etwa in jenem aus Elfenbein gearbeiteten Andachtsbüchlein, dessen Malereien eine Zusammenstellung der *arma Christi* zeigen – als ob Christus ein eigenes, schauriges Wappen besäße (Abb. 82). Wie viele der neuartigen Bilder stammt auch dieses aus dem Rheinland, in dem die neue Frömmigkeit auf besonders fruchtbaren Boden fiel. Neben Dornenkrone, Essigschwamm und der seltsam beweglichen Wunde finden sich Zeichen für bestimmte symbolträchtige Handlungen wie die isolierte Hand, die Christus ohrfeigte. Die Szene darunter stellt Christus einem seiner Peiniger, einem häßlich karikierten Juden, gegenüber. Die regelrecht zerstückelte Erzählweise erinnert mit ihren eingeschobenen Nahaufnahmen und dem Herausschneiden einzelner Objekte an die moderne Filmtechnik. Sie soll den Menschen ansprechen, der diese Bilder in Händen hält, und ihm anhand der Fragmente die Gewalttätigkeit des gesamten Geschehens in Erinnerung rufen. Der zunehmend vertraute Umgang, den die Menschen mit Bildern pflegten, dürfte auch damit zusammenhängen, daß in der damaligen Gesellschaft Waren immer mehr Bedeutung beigemessen wurde. So zeigte selbst persönlicher Zierrat in Form von Schmuckstücken nicht nur die Passion samt konventioneller Darstellungen des Schmerzensmannes, sondern enthielt echte Reliquien (Abb. 83).

Ein Schmerzensmann des Meister oder Frater Francke – eines Künstlern aus Geldern, der zu Beginn des 15. Jahrhunderts die meiste Zeit seines Lebens als Dominikanermönch in Hamburg verbrachte – zählt zu den beeindruckendsten Exempeln eines Erbärmdebildes (s. Abb. 70). Die plastische Darstellung des Schmerzensmannes füllt fast die gesamte Bildfläche aus und scheint in erster Linie an den Tastsinn zu appellieren. Zur Rechten und zur Linken Christi stützen zwei zierliche Engelsgestalten mit ihren zarten Fingern den ausgemergelten Körper ihres göttlichen Herrn sowie die winzigen, auf Spielzeuggröße reduzierten Passionswerkzeuge. Christus Körper hängt schlaff und willenlos in den Armen des hinter ihm stehenden Engels mit schwarzen Flügeln, dessen rot geränderte Augen daran erinnern, daß das Weinen für die damaligen Kirchgänger ebenfalls eine intensive, mit den Augen verbundene Sinneserfahrung darstellte. Vor derlei Bildnissen wurden unzählige Tränen vergossen, die die Konturen der ohnehin

83 Schmuckanhänger in Form eines Reliquientriptychons mit Schmerzensmann, ca. 1400. Gold, Emaille, Felskristall und Perlen, 4,8 x 5,3 cm. Schatzkammer der Residenz, München

Das winzige Triptychon besitzt Flügel aus durchsichtigem Bergkristall, die nach Belieben geöffnet und geschlossen werden können. Dadurch werden eher die einzelnen Darstellungen als die kostbare Reliquie in den Vordergrund gestellt.

Soe wie ous herf wapcum acu licf Daer bi ur dogede syn
vdrlief Eu iammlye waert getormen Vauden tode oubeker
Eu dan hret oh fine knien Drie p̃ uit eñ ·iii· aue marie̅
Eu roude beeft van finen conden Eu waert wilhe dat
ordouden Dat die·riii·iaer aflaets beeft Die hem die paus
gregorius geeft Eu noch ·ii· paus dato waerbode Die daer
gauen aflaert mede Eu af hillopen des gehte Dat mach
verdieuen arm eñ rike Stu verdieut al oetmoedelike

84 Gregorsmesse, ca. 1460.
Nachträglich kolorierter Holzschnitt, 25,2 x 18,1 cm.
Germanisches National-
museum, Nürnberg

Entgegen allen Erwartungen
wurde die Wirksamkeit der
Kultbilder durch deren Repro-
duktion keineswegs ge-
schwächt. Die Duplikate be-
rühmter und heilkräftiger Bildnisse zeitigten – in Anlehnung
an das Original – eigene wundersame Wirkungen. Zu den
am häufigsten reproduzierten,
mit lukrativen Ablässen
verbundenen Bildnissen zählten
die Gregorsmesse, das
Schweißtuch der Veronika mit
dem Antlitz Christi und der
heilige Christophorus.

schon nachlassenden Farben noch weiter verschwimmen ließen. Christus befühlt mit einer Hand seine Wunde und hält mit der anderen eine dünne Geißel, die mit ihren knotigen Striemen an jene kleine Peitschen erinnert, mit denen Nonnen sich gegenseitig zu beschenken pflegten, um sich damit zu kasteien. Christi tief eingesunkene Augen blicken den Betrachter unvermittelt und geradezu auffordernd an. Hier wird offenkundig, weshalb neuere Forschungen den erotischen Aspekt solcher Konfrontationen zwischen Betrachter und Bildnis betonen.

Sich in die Betrachtung eines privaten Andachtsbildes zu vertiefen, stellte jedoch mehr als die Erfüllung religiöser und emotionaler Bedürfnisse dar. Man konnte sich damit echten himmlischen Lohn verdienen. Manche Bildnisse standen mit dem Ablaßhandel in Zusammenhang – durch den Erwerb eines Ablasses vermochten die Gläubigen sich für eine gewisse Zeit vom Fegefeuer freizukaufen. Dies gilt etwa für die Gregorsmesse, eine im Laufe des 15. Jahrhunderts große Beachtung findende Legende (Abb. 84). Die Legende berichtete von einer Vision Papst Gregors des Großen (ca. 540-604), der während der Wandlung der Hostie auf dem Altar den Schmerzensmann samt seiner Leidenswerkzeuge erblickte. Das Bildnis greift weniger auf Schilderungen in Texten als vielmehr auf andere Darstellungen zurück und dürfte von den Kartäusern nachhaltig gefördert worden sein, deren Kirche zu Rom eine Ikone enthielt, die ihrer Überzeugung nach Papst Gregor persönlich zum Gedenken an diese Vision in Auftrag gegeben hatte. Die Begeisterung, mit der diese Darstellung allenthalben aufgenommen wurde, läßt sich jedoch vor allem darauf zurückführen, daß sie mit einem päpstlichen Ablaßbrief verbunden war: Ein niederländischer Holzschnitt der Gregorsmesse enthält den unmißverständlichen Hinweis, daß »jeder, der die Wappen Christi (jene Werkzeuge, durch die Christus litt und mit denen er von den ungläubigen Juden jämmerlich gequält wurde) betrachtet und über sie nachdenkt, der dann niederkniet, um drei Vaterunser und drei Ave-Maria zu beten« vierzehntausend Jahre Fegefeuer erlassen bekommt. Die Erfindung des Buchdrucks in der Mitte des 15. Jahrhunderts führte dazu, daß weit mehr Personen in den Besitz privater Andachtsbilder wie dieses Holzschnittes gelangten, die sie entweder aufhängen oder mit sich führen konnten: als private Andenken an Gottes Gegenwart und Heilsversprechungen ihrer eigenen Zukunft.

85 Eine Nonne durchlebt die drei Stufen des
mystischen Erlebens, ca. 1310. Buchmalerei auf
Pergament, 26,6 x 18,4 cm. British Library, London

Mystische Visionen

Jedes beliebige Bildnis konnte zum Ausgangspunkt einer mystischen Erfahrung werden. Ein um 1300 an eine französische Nonne
adressiertes Traktat zeigt in einem kunstvoll gestalteten gotischen
Rahmen die »tres etaz de bones ames«, die drei Phasen des mystischen Wegs (Abb. 85). In der ersten Szene wird eine Domini-
kanernonne von ihrem Beichtvater aufgefordert, um Vergebung
ihrer Sünden zu ersuchen. Die zweite Szene zeigt sie vor einem
echten Andachtsbild kniend – vor einer Skulptur, die die Marienkrönung darstellt. Eben diese dem körperlichen Sehen gewidmete Szene enthält als einzige keine Inschrift in Form eines Spruch-
bandes. Sonne und Mond weisen darauf hin, daß dieser Sehvorgang
innerhalb der Zeit stattfindet, wohingegen sich die darauffolgenden,
höheren Stufen der Vision außerhalb der Zeit bewegen. Links

unten, in der dritten Szene, wirft sich dieselbe Nonne voller Ehr-
furcht vor einer Vision zu Boden, in der ihr Christus als Schmerzensmann erscheint, der ein paar Tropfen seines Blutes in einen
Kelch auf dem Altar fallen läßt und dazu spricht: »Siehe, was ich
alles zum Heile des Volkes auf mich nehme.« In dieser Zwischen-
stufe der Kontemplation schaut die Nonne Christus nicht direkt an.
Erst in der letzten Szene gewahrt sie in ihrer Vision die göttliche
Trinität in Form des sogenannten »Gnadenstuhls«: Gottvater
thronend, vor sich das Keuz mit Christus, samt der Taube des Heiligen Geistes. Die Nonne wirft erstaunt ihre Arme in die Höhe,
während die rund um die göttliche Trinität auseinandertretenden
Wolken vom höheren Status dieser Vision künden. Alle Stufen der
Vision – von der Skulptur der Marienkrönung über die vor dem geistigen Auge stattfindende Kontemplation des Schmerzensmannes
bis hin zur mystischen Vision von der göttlichen Trinität – stellen

87 Kreuzigungsszene mit davor kniender Nonne aus einem Tafelbild mit Szenen aus dem Leben der Jungfrau Maria, ca. 1330. Tempera auf Holz, 65 x 96 cm. Wallraf-Richartz-Museum, Köln

Sämtliche Szenen des Tafelbildes, das der Nonne in der Abgeschiedenheit ihrer Zelle zur privaten Andacht diente, konzentrieren sich auf die Jungfrau Maria und ermöglichen somit die Identifikation mit Christus auf dem Umweg über dessen Mutter.

bemerkenswerterweise in der damaligen Kunst gängige Bildtypen dar. In der Tat folgten die meisten Visionen mittelalterlicher Mystiker den Konventionen zeitgenössischer Kunst.

Der Mittelschrein des geschnitzten Flügelaltars im Chor des Zisterzienserklosters Marienstatt enthält eine der oben beschriebenen Miniatur vergleichbare Marienkrönung (Abb. 86). Mit seinen oberen Figurenreihen und den unten zu sehenden Reliquienbüsten der Heiligen Jungfrauen von Köln stellt dieser Altar ein weiteres Abbild des Himmlischen Jerusalem dar. Die Altarflügel blieben das Jahr über vermutlich meistens geschlossen und wurden lediglich an Sonn- und Feiertagen geöffnet, um die Reliquien zur Schau zu stellen. Das sich fortlaufend ändernde Repertoire dieser Wandelaltäre unterscheidet sich grundlegend von deren Präsentation in modernen Museen, die sämtliche Aspekte gleichzeitig preisgibt und somit keine Verwandlung zuläßt. Die Kirche mußte die Reliquienverehrung regulieren, und der Wandelaltar von Marienstatt half, die einzelnen Reliquien in Szene zu setzen, indem immer nur Teile zur Schau gestellt wurden und andere dafür verborgen blieben.

Private Andachtsbilder machten die Passion Christi weit besser nachvollziehbar. Ein kleines Tafelgemälde aus Köln weist über dem zentralen Bild sowie zwischen den Darstellungen der Seitenflügel Vertiefungen zur Aufbewahrung von Reliquien auf, die alle gleichzeitig dem Blick des Betrachters preisgegeben werden (Abb. 87). Die am Fuß des Kreuzes stehende Nonne blickt zu ihrem Retter empor.

Sie kann ihn direkt sehen, während auf der gegenüberliegenden Seite Longinus, dessen Lanze sich zwischen Christi Rippen bohrt, auf seine geblendeten Augen verweist. Blindheit wurde gemeinhin mit Sünde und Unwissenheit gleichgesetzt, während klare Sicht als Kennzeichen von Wahrheit und Schönheit galt. Die Stifterfigur der Nonne ist kleiner dargestellt als die sie umgebenden Heiligen – sie wohnt dem dargestellten Geschehen nur geistig, nicht körperlich bei. Als Nonne hatte sie wahrscheinlich einen Psalter oder ein Stundenbuch, deren Illustrationen die Darstellungen privater Andachtsbilder oder öffentlich zugänglicher Altäre aufgriffen. Nonnen gehörten damals zu jener gesellschaftlichen Gruppe, die am besten darin geschult war, verschiedene Bildnisse miteinander zu vergleichen und gegenüberzustellen, da sie während ihrer gesamten Existenz ständig mit Bildnissen konfrontiert waren. Die Bildnisse dienten als Ansporn zur Selbstgeißelung und anderen Formen der Kasteiung, mit denen die frommen Frauen die Passion Christi am eigenen Leib nachzuvollziehen trachteten.

Viele Nonnen waren aristokratischer Herkunft und hatten daher in ihrer Kindheit Zugang zu fesselnden Darstellungen eher körperlicher denn geistiger Liebe. Als ihre Tochter Anna zwischen 1310 und 1320 in das Katharinenkloster zu Adelhausen eintrat, vermachte die Familie Malterer der Einrichtung einen gestickten Wandteppich mit acht Szenen. Einige davon ließen sich durchaus als Symbole geistiger Liebe interpretieren, etwa das durch die Jungfrau überlistete Einhorn. Andere dagegen, wie die Schilderung des Gelehrten Aristoteles, der in seiner grenzenlosen Verliebtheit wie ein Tier auf allen Vieren kriecht, um Phyllis auf seinem Rücken reiten zu lassen, ziemen sich weniger für ein Kloster (Abb. 88). Andererseits ließen sich solche Darstellungen auch als abschreckende Warnung interpretieren. Das eindeutig auf die weltliche Erotik verweisende Motiv der ersten Szene, in der ein betagter Gelehrter seine Hand durch ein Fenster streckt, um den Gegenstand seiner Begierde zu berühren, basiert in der Tat auf einem biblischen Prototyp: Der

88 Aristoteles und Phyllis, ca. 1310-1320. Wollstickerei, Gesamtmaß 68 cm x 4,90 m. Augustinermuseum, Freiburg

Geliebte im Hohen Lied »steckte seine Hand durchs Riegelloch« (Hohelied 5,4). Auch dieses Kunstwerk läßt sich weder eindeutig in einen sakralen noch in einen profanen Kontext einordnen, sondern verbindet beide miteinander.

Auch Visionen waren gewisse Grenzen gesteckt. Die Nonnen mochten wohl die Schnittstelle der visuellen Religiosität bilden, sie hatten sich dennoch an die strenggläubigen Vorschriften bezüglich der Frömmigkeitsübungen und der verwendeten Bilder zu halten. Ein im frühen 13. Jahrhundert für eine englische Nonne angefertigter Psalter enthält ein Andachtsbild mit dem gekreuzigten Christus im Gnadenstuhl, bei dem das Antlitz Gottvaters ganz bewußt verhüllt wurde, damit die beiden vor ihm knienden Nonnen und der Betrachter es nicht gewahrten (Abb. 89). Die Ursache hierfür dürfte in einer bestimmten, in der zeitgenössischen theologischen Lehre mehrfach betonten Stelle des Johannesevangeliums zu suchen sein, an der es heißt »Niemand hat Gott je gesehen« (Joh. 1,18). Als ein Jahrhundert später unter den Theologen eine rege Kontroverse um das Antlitz Gottvaters entbrannte, ließ man derartige Skrupel beiseite. Man konzentrierte sich statt dessen auf die Frage, ob die gerechten Toten Gott bereits vor der allgemeinen Auferstehung und dem Jüngsten Gericht von Angesicht zu Angesicht zu sehen vermochten. Papst Benedikt XII. (1334-1342) erließ 1336 eine Bulle, die besagte, daß die Seelen bereits vor der Wiedervereinigung mit dem jeweiligen Körper »das Wesen Gottes in intuitiven Visionen, ja gar von Angesicht zu Angesicht gewahrt haben und gewahren«. Rund 30 Jahre darauf verzierte ein englischer Buchmaler eine Abschrift der

90 *Visiones beatae* – die Vision der Heiligen Benedikt und Paul sowie die Vision einer weltlichen Männer- und Frauengestalt. *Omne Bonum,* ca. 1360-1375. Buchmalerei auf Pergament, ganzseitig, 46 x 31,2 cm. British Library, London

päpstlichen Bulle mit einer Darstellung, die den streng hierarchischen Charakter der Vision und die Unsichtbarkeit Gottes betont (Abb. 90). Im untersten Register kniet rechts und links der irdischen Sphären ein Mann und eine Frau als Sinnbild weltlicher, frommer Christenmenschen, die glauben, ohne zu sehen. Nur wenige göttliche Strahlen dringen bis hierher vor, die in keinem Zusammenhang

91 *Christi Geburt mit der heiligen Birgitta von Schweden,* ca. 1415. Tempera auf Holz, 90 x 60,4 cm. Rosengartenmuseum, Konstanz

Der Altarflügel zeigt die heilige Birgitta als reale Teilnehmerin der Vision, die sie an Christi Geburtsort in Betlehem hatte. Die drei durch das Stalldach dringenden, sowohl das Christuskind als auch die Jungfrau Maria beleuchtenden Lichtstrahlen kommen aus Gottes Mund und symbolisieren die göttliche Botschaft. Die Kerze in Josephs Hand verkörpert die Quelle des weltlichen Lichts – im Gegensatz zum gerade geborenen Ursprung des göttlichen Lichts.

mit jenen oberhalb abgebildeten, höheren Stadien der Vision stehen. Im mittleren Register sind zwei Mittler zwischen der irdischen und der himmlischen Sphäre zu sehen, der heilige Benedikt und der heilige Paulus, die ihrerseits »das Licht Gottes« gewahren. Das riesige, nur angedeutete Haupt Gottes im obersten Register verkörpert die Vision »von Angesicht zu Angesicht«. Wie sooft gab das gotische Bildnis dem Auge des Betrachters etwas preis und nahm es gleichzeitig wieder zurück, indem es nur eine Vision in Aussicht stellte, die der Betrachter vielleicht nach seinem Tode haben würde.

Die heilige Birgitta von Schweden (1300-1373) maß visionären Erlebnissen eben deshalb große Bedeutung bei, weil sie außerhalb des offiziellen kirchlichen Dogmas stattfanden. Mystiker verstanden sich als religiöse Erneuerer und projizierten sich unmittelbar in das christliche Heilsgeschehen hinein, wobei die Kirche ihr Vorgehen meist billigte und den Gläubigen zur Nachahmung empfahl. Als die heilige Birgitta 1372 nach Bethlehem pilgerte, hatte sie in der Geburtsgrotte eine Vision dessen, was sich dort einst zugetragen hatte. Ihrer Schilderung zufolge gebar die Jungfrau Maria »im Handumdrehen« das Christuskind, von dem ein »unbeschreibliches Licht« ausging. Dieses mystische Erlebnis wurde 40 Jahre später in einem Tafelbild festgehalten (Abb. 91). Für den Betrachter dieses Gemäldes, das einst Teil eines Altares war und wohl nicht privater Andacht diente, wirkte die Heilige als vermittelndes Bindeglied. Anders als die Nonne in dem wesentlich früher angefertigten Kölner Andachtsbild (s. Abb. 87) stellt die Person der Stifterin kein nebensächliches Beiwerk, sondern eine lebensgroße Augenzeugin des heiligen Geschehens dar. Das mystische Bild wird der Öffentlichkeit zugänglich gemacht. Mehr noch: Anhand von Birgittas Schriften vermochte sich der Betrachter selbst in Gedanken in die Geburtsgrotte von Bethlehem zu versetzen und aus Birgittas Perspektive einen Blick auf das Kind in der Krippe werfen. Nicht nur private Andachtsbilder und Buchmalereien, auch öffentlich zugängliche Altäre und Statuen zeugten von neuem, subjektivem Erleben und dem Aufkommen einer Art persönlicher Identität.

Im Zentrum weiblicher Spiritualität – sowohl der Nonnen als auch frommer Laiengemeinschaften – stand die Person Christi, wie sie von seiner Mutter wahrgenommen wurde: zunächst, in der Darstellung von Christi Geburt, als kleines Kind, und dann in der

Pieta, als Leichnam. Unter den neuartigen gotischen Abbildungen erfreute sich das Vesperbild bald der größten Beliebtheit. Jenes im Kloster Seeon im Chiemgau betont nachdrücklich den Blick der trauernden, unbeholfen den Leichnam ihres riesigen Kindes auf dem Schoß haltenden Maria (Abb. 92). Mutterliebe und Tod – zwei menschliche Grunderfahrungen, die in privaten Andachtbildern aus früherer Zeit einander gegenübergestellt worden waren (s. Abb. 81), verbinden sich in der Pieta zu einem dreidimensionalen Kultbild, das häufig Altäre zierte. Die Betonung des großen Gewichtes, die Stofflichkeit der Gewänder und die vergossenen Tränen appellieren eindringlich an den Tastsinn des Betrachters. In diesem Punkt muß unsere moderne Unterscheidung zwischen öffentlicher und privater Sphäre zwangsläufig versagen, da unzählige, in Kirchen offen zur Schau gestellte Bildnisse als Ausgangspunkt für intensive private Andachten und mystische Erfahrungen dienten. Die Vesperbilder standen überdies nicht nur im Mittelpunkt weiblicher Spiritualität: Auch Männer identifizierten sich durchaus über die Person der Maria mit dieser wundervoll gelungenen Kombination sichtbarer Mutterliebe und greifbaren Schmerzes.

Die psychologische Wirkung solcher Bildnisse zu ergründen, gehört – vor dem Hintergrund unserer mit Bildern übersättigten Kultur, der Ver-

92 Pieta aus dem Kloster Seeon im Chiemgau, ca. 1400. Bemalter Kalkstein, 75 cm hoch. Bayerisches Nationalmuseum, München

führungsstrategien der Werbung und der nostalgischen Sehnsucht nach einer Zeit, in der Bilder eine derart zentrale Rolle im menschlichen Leben spielten – zu den interessantesten Fragestellungen in der neueren Erforschung gotischer Kunst. Es wäre jedoch verfehlt, bei der Darstellung gotischer Kunstwerke von einem homogenen Kulturbegriff auszugehen. Seite an Seite mit der katholischen Vorstellungswelt – und oft in Abhängigkeit von ihr – existierten nämlich andere Formen von Religiosität. Dies soll durch zwei Handschriften veranschaulicht werden, in denen jeweils fromme Frauen vorkommen, und die beide für Laien verfaßt wurden. Das erste Manuskript offenbart die zentrale Stellung von Bildern im Christentum. Ein darin enthaltenes Bild im Bild zeigt, wie die heilige Hedwig von Schlesien – die 1243 verstorbene Gründerin des Zisterzienserklosters Trebnitz, deren Lebenswerk in einer 1353 ausgemalten Handschrift geschildert wird (Abb. 93) – eine aus Elfenbein geschnitzte Madonna umklammert. Als Hedwig starb, hielt sie das geliebte kleine Bildnis so fest in der Hand, daß man es ihr nicht abzunehmen vermochte und schließlich mit ihr bestattete. Die ganzseitige Abbildung zeigt, wie zwei kniende Stifterfiguren – Herzog Ludwig I. von Liegnitz und seine Gemahlin Agnes, in deren Auftrag die Handschrift angefertigt wurde – zu der von einem Baldachin bekrönten, ihre Marienstatuette haltenden Hedwig beten.

Bei der anderen, mit Miniaturen und gotischen Spitzbögen verzierten deutschen Handschrift handelt es sich um eine Haggada – jenes Buch, das dem jüdischen Opfermahl, dem *seder* zugrundeliegt (Abb. 94). Ebenso wie die um 1290 in reinstem gotischem Stil errichtete Synagoge (Altneuschul) in Prag beweisen derartige Darstellungen, daß die Gotik keineswegs eine ausschließlich christliche Erscheinung war. Gotische Kunst war zwar in hohem Maße antisemitisch. Dennoch hinterließen die Juden, ungeachtet ihrer Abneigung gegenüber religiösen Bildnissen, in Spanien und Deutschland zahlreiche künstlerische Zeugnisse aus gotischer Zeit. Die zitierte Haggada enthält keine Darstellungen biblischer Szenen. Statt dessen beziehen sich die Abbildungen und Texte auf die Rolle des Buches im Ritus der Aschkenasim. Für einen Christen mochte diese Handschrift verkehrt geschrieben sein, da die rituellen Lesungen für den *seder* jeweils auf der Rückseite eines Blattes einsetzen und dann auf der Vorderseite weitergelesen wird. In den Augen der jüdischen Frau, für die diese Haggada bestimmt war, und die am unteren Seitenrand den einzigen für Frauen zugänglichen heiligen Text in Händen hält, gingen ihre christlichen Mitmenschen und Nachbarn verkehrt herum vor. Diese jüdische Gemeinde am Mittelrhein, die vermutlich einen ortsansässigen Christen mit der Ausmalung ihrer Schrift beauftragte, verstand unter Visionen etwas vollkommen anderes. Nicht nur die riesigen hebräischen Buchstaben, auch die Darstellungen, in denen Frauen über geöffneten Büchern mit betagten

94 Das Wort als zentraler Bestandteil der jüdischen Welt. Passah-Haggada nach Aschkenasim Ritus, ca. 1430. Buchmalerei auf Pergament, 35,2 x 25,6 cm. Hessische Landes- und Hochschulbibliothek, Darmstadt

Im Zentrum des großen, von einem architektonischen Rahmen eingefaßten Bildes steht die riesige Schrifttafel mit dem hebräischen Wort *az*, das am Beginn des Gebets am ersten Passahabend steht: »wie viele Wunder du vollbracht hast«. Rundherum sind unter Baldachinen eine Reihe auf Bücher deutende und mit Patriarchen diskutierende Frauen abgebildet, wovon eine – in Blau gekleidet – die Eigentümerin der Handschrift darstellen könnte. Sie schaut den Betrachter vom unteren Bildrand aus an, als ob sie ihn durch ihr Buch führen wolle.

Gelehrten diskutieren, betonen weniger das Bild als das Wort. Im Zentrum der christlichen Vorstellungswelt stand das Bild, wohingegen sich in dieser anderen gotischen Welt alles um das Wort und nur um das Wort drehte.

Kapitel 4

Die neue Sicht der Natur

95 Straßburger Münster, linkes bzw. nördliches Portal an der Westfront. Der Fürst der Welt und die Törichten Jungfrauen, ca. 1280-1300

B ei Beschreibungen gotischer Kathedralen hat man häufig den Eindruck, es handle sich um Gewächshäuser, in denen die erste naturalistische Flora und Fauna abendländischer Kunst gezüchtet wurde. Doch verbanden die mittelalterlichen Menschen mit der Natur eine Reihe ganz anderer Assoziationen. Viele Skulpturen am südlichen Westportal des Straßburger Münsters bilden auf eine ganz spezifische Art und Weise Teile der Natur ab: Blumen, Äpfel, Tier- und Menschenkörper (Abb. 95). Während der Apfel in der Hand der Männergestalt und das rankende Eichenlaub äußerst naturalistisch dargestellt sind, fällt die Figur selbst durch ihre in hohem Maße künstlichen, scharf herausgearbeiteten und überzeichneten Züge auf. Die gekrönte, vornehm gekleidete und pausbäckige Männergestalt stellt den »Fürst der Welt« dar. Der reife, verlockende Apfel dient als Versuchung und Lockmittel der törichten Jungfrauen, denen die neben dem Verführer abgebildete Himmelstür verschlossen bleibt. Tritt man ein paar Schritte nach links, sieht man, daß die Rückseite des Körpers aus einem verfaulten Rückgrat besteht, das von Schlangen, Kröten und anderem Gewürm aufgefressen wird. Die Rolle des Menschen beschränkte sich keineswegs darauf, die Natur zu beobachten. Als Teil der sündigen Welt war er vielmehr in ihr prächtiges Wachstum, aber auch in ihren Zerfall und Untergang einbezogen.

In dem üppigen, sich wie eine Rebe um den Bogen windenden Band mit Blattwerk neben der äußerlich so ansprechenden, aber von innen heraus vollkommen verfaulten Menschengestalt spiegelt sich die ganze Schönheit der Natur. Die tiefer gelegene Sockelzone enthält – von Vierpaßmaßwerk eingerahmt – Monatsbilder, angefangen von den Festen des Januar bis hin zum Blumenpflücken im Mai. Dagegen behielten die weiter oben dargestellten Blumen ihre Blüten das ganze Jahr über. Der Kontrast zwischen diesen Skulpturen sollte dem mittelalterlichen Betrachter entsprechend der christlichen Lehre die Eitelkeit und Vergänglichkeit aller irdischen Dinge vor Augen führen. Im übrigen bringen uns die hervorragend gearbeiteten Skulpturen, deren Originale heutzutage im Museum des Münsters verwahrt werden, zum Bewußtsein, daß der »Naturalismus« der gotischen Kunst keine einheitliche, an eine bestimmte stilistische Ausrichtung gebundene Darstellungsweise entwickelte wie beispielsweise der Impressionismus. Statt dessen bildeten sich verschiedene Grade »natürlicher« Wiedergabe heraus. Diese konnten die Künstler zur Darstellung unterschiedlicher Kategorien von Personen und Dingen heranziehen. Während beispielsweise eine Blumenskulptur anhand einer echten Pflanze gefertigt wurde, griff man bei der Darstellung menschlicher Gestalten auf die schematischen Formen des göttlichen Geometers zurück. Der sündige Körper des Menschen war mit viel zu vielen Tabus und Gefahren verbunden, um mit derselben Naturtreue abgebildet zu werden wie ein Blatt. So wurden auch Adam und Eva, die letzten unschuldigen und am meisten dem Ebenbild Gottes entsprechenden Geschöpfe, in der Gotik erst spät naturalistisch dargestellt.

»Natürlich« und »real« dürfen bei der Betrachtung gotischer Kunst nicht gleichgesetzt werden. Sowohl für den zu Beginn des untersuchten Zeitraums lebenden Abt Suger als auch für Nikolaus von Kues am Ende desselben lag das Reale jenseits des sichtbaren Reiches der Sinne. Dennoch zeigte die Kunst denselben Hang zu detaillierter Beobachtung und eingehender Untersuchung wie die zeitgenössische Theologie, Dichtung und Naturwissenschaft. Die Natur galt selbstverständlich als Schöpfung Gottes. So rühmte der heilige Bonaventura, ein Franziskanermönch: »Das Werk des allerhöchsten Künstlers ist herrlicher, als jegliche menschliche Kunst zu sein vermag.« Dessenungeachtet geht man sowohl in der Kunstgeschichte als auch in der historischen Erforschung der Naturwissenschaften davon aus, daß mit dem Aufkommen gotischer Kunst ein tiefgreifender Wandel in der traditionellen Einstellung der Europäer gegenüber der natürlichen Umgebung einherging. Natur war fortan mehr als eine Reihe von Symbolen – sie wurde zu einer Reihe von Dingen, die nicht mehr durch die typologische Brille der Unendlichkeit, sondern durch die aristotelische Linse betrachtet wurde. Und doch war die Kunst im Mittelalter genausowenig »natürlich« wie die heutige, sondern ausnahmslos konstruiert. Die folgende Untersuchung der Darstellung der Pflanzen- und Tierwelt einschließlich des menschlichen Körpers befaßt sich weniger damit, was die damaligen Menschen vor Augen geführt bekamen, als damit, was sie zu sehen wünschten.

Die gebändigte Natur

In der Kathedrale zu Soissons, die um dieselbe Zeit wie diejenige von Chartres erbaut wurde, findet sich ein schlanker, von einem Kapitell bekrönter Chorpfeiler. Sein zweireihig in Stein gemeißeltes Schöllkraut streckt seine Blätter sachte dem Licht entgegen, das von Osten her eindringt (Abb. 96). Die Blätter erwecken den Eindruck, als seien sie erst nachträglich hinzugefügt worden, als ob das Bestreben, die Natur in den heiligen Raum einzubringen, über die Wahrung der architektonischen Einheit gesiegt hätte. Diese Art der Kapitell-bearbeitung erfuhr in der Kathedrale von Laon und in Notre-Dame zu Paris eine Fortsetzung, und zwar in Form von weniger aufsehenerregenden Akanthuskapitellen mit emporwachsenden Blättern und Knospen. Den Höhepunkt bildete in den dreißiger Jahren des 13. Jahrhunderts die Kathedrale von Reims, an deren Kapitellen sich mindestens 30 verschiedene Pflanzen- und Blumenarten ausmachen lassen. Gewiß waren die botanischen Bezeichnungen all dieser Pflanzen den damaligen Menschen nicht geläufig, doch konnten sie die einzelnen Gewächse sehr wohl auseinanderhalten und in der Volkssprache benennen. Eben diese Kapitelle dürften es den Bauern ermöglicht haben, in den Steinen der Kathedralen zu »lesen«.

In einer Zeit, da die Menschen tagtäglich viel mehr mit Pflanzen zu

96 Kathedrale von Soissons, Blattkapitell, 1192-1212

tun hatten und ihr Lebensunterhalt vom jahreszeitlichen Wachstum des Getreides und Gemüses abhing, wurden solche Skulpturen weit weniger als »dekoratives« Beiwerk empfunden als aus unserer heutigen Sicht. In romanischen Kunstwerken begegnet man häufig Menschen in einem unwirtlichen, von bösen Geistern bewohnten Dickicht aus Bäumen und Reben. Dagegen offenbart die gotische Kunst eine freundlichere, harmlosere Natur als Laube oder Hintergrund – eine Natur, die man aus einer gewissen Distanz betrachten oder aber pflücken konnte, um sie aus nächster Nähe zu untersuchen. Die Pflanzenwelt der Kathedralen stand in keinerlei Widerspruch zu deren theologischen Botschaften. Sie betonte vielmehr die Bedeutung, die man neuerdings der Wahrnehmung und Empfindung des göttlichen Wesens beimaß, das immer häufiger durch Gottes Schöpfungswerk symbolisiert wurde.

Blumen und Pflanzen als heilige Symbole zu verwenden, entspricht einer uralten Tradition, doch kommt in der bewußten Einbeziehung gotischer Blattkapitelle in das Kircheninnere ein tiefgreifender Wandel im Verständnis des Kunstwerks zum Tragen. Rein optisch gesehen, unterstrichen die sich an den Kapitellen nach oben rankenden Triebe natürlich das starke Aufwärtsstreben und die schwindelerregende Höhe des gesamten Baugefüges. Eine der ersten Theorien zur Entstehung gotischer Kunst im 18. Jahrhundert sah in den Säulen, Schäften und Pfeilern, die dem schirmförmig ausgebreiteten Gewölbe entgegenwachsen, eine steinerne Nachahmung der riesigen Wälder im nördlichen Europa (Abb. 97).

97 Kathedrale von Amiens, Triforium und Lichtgaden (Ausschnitt), ca. 1235

Die heutzutage kahl und kalt wirkende Architektur präsentierte sich im späten 13. Jahrhundert infolge der bunten Glasfenster, der kräftig bemalten Pfeiler und vor allem der Grüntöne in einem äußerst farbenfrohen Gewand.

Wenngleich diese romantische Phantasie nicht der Wahrheit entspricht, steht doch außer Zweifel, daß Grünpflanzen für die gotische Formensprache von großer Wichtigkeit waren. Zu bestimmten Jahreszeiten wurde das Kircheninnere mit Blumen und Blättern ausgeschmückt. In England wich das sogenannte »Stiff-Leaf Capital«, die englische Variante des gotischen Knospenkapitells des späten 12. Jahrhunderts, ebenfalls einer naturalistischeren Darstellungsweise, wie sie beispielsweise in Southwell zu finden ist. Der üppige Blattwerkfries in der gesamten Kathedrale von Amiens deutet darauf hin, daß die Kirchenwände häufig mit Laubgirlanden geschmückt wurden. Bekanntlich wurde am Fest des heiligen Firmin das Äußere und Innere der Kathedrale mit Blumen und Grün dekoriert –

eingedenk der Legende, wonach Firmin mitten im Winter die Bäume zum Blühen gebracht hatte.

Diese Beispiele naturalistischer Pflanzendarstellungen lassen sich weder als dekoratives Beiwerk noch als schlichte Naturbeobachtung abtun. Die Art der ausgewählten Pflanzen und Blumen trug häufig der lokalen Landwirtschaft, örtlichem Brauchtum oder der Assoziation mit bestimmten Heiligen Rechnung. Dies soll nicht heißen, daß man Farbenpracht und Wohlgeruch der Blumen nicht um ihrer selbst willen schätzte. Schon Albertus Magnus, der Lehrer Thomas' von Aquin, schrieb in seiner Abhandlung *Über Pflanzen*: »Blumen wie Veilchen, Akelei, Lilie, Rose und Iris ....betören nicht nur durch ihren Duft, sondern erfrischen mit ihrer Schönheit auch das Auge.«

Oben:

98 Die allegorische Figur der
»Natur« aus der *Physik* des
Aristoteles, ca. 1300.
Buchmalerei auf Pergament,
ganzseitig, 42,5 x 26,6 cm.
Bibliothèque Mazarine, Paris

Die Initiale stammt aus einer
eigens für die Universität von
Paris – an der das Studium
der aristotelischen Schriften
zunächst verboten war –
angefertigten Handschrift und
verbindet, wie die zeit-
genössische Skulptur,
abstrakte Schmuckmotive (die
dreiblättrigen Blüten der
Außenecken) mit genauerer
Naturbeobachtung (die aus
den Händen der weiblichen
Gestalt emporwachsenden
Blumen).

Die Tatsache, daß die gotische Skulptur des
frühen 13. Jahrhunderts und der »klassischen«
Phase von Reims die naturalistischsten Darstellungen vorweist, während sich die Blumen-
und Pflanzenabbildungen des Perpendicular
Style und des Style Flamboyant im 15. Jahrhundert erneut schematischen Abstraktionen
nähern, beweist zweifelsfrei, daß die gotische
Kunst sich keineswegs einfach fortentwickelte.

Natur war mehr als eine Sache, Natur war
eine Gewalt. Eine Pariser Handschrift der
aristotelischen *Physik* (was auf Griechisch
soviel wie »Natur« bedeutet) schildert die Natur entsprechend ihrer Definition in der Fach-
sprache der Naturphilosophen als »die Quelle
oder den Ursprung aller Bewegung« (Abb. 98).
Die Wiederentdeckung dieses Textes auf dem
Umweg über das Arabische vermittelte den
Gelehrten eine neue Auffassung von Natur,
die sich deutlich von der biblischen unter-
schied. In der Pariser Handschrift präsentiert Mutter Natur pflanz-
liche und tierische Symbole der vier Elemente Erde, Luft, Feuer und
Wasser. Die aus ihren Händen emporwachsenden Kreaturen künden von der Dynamik irdischer Dinge. Während Scholastiker wie
Albertus Magnus und Thomas von Aquin das neue Naturbild mit
der christlichen Lehre in Einklang zu bringen suchten, trachteten
die Künstler danach, den seit jeher übernommenen, altehrwürdigen
Stereotypen die Triebe eines neuen Naturalismus aufzupfropfen.

Bei Hofe und vor allem in den rasch wachsenden Städten fand
die neue Naturauffassung begeisterte Aufnahme. Gerade die Stadtbewohner fühlten sich als erste – wie der moderne Mensch – zu-

nehmend der Natur entfremdet. Privatgärten, die nach wie vor das Paradies zum Vorbild hatten, stellten einen Luxus dar, den sich nur die Aristokratie zu leisten vermochte. Dies galt auch für die in Tapisserien, Miniaturen und Schmuckstücken dargestellten künstlichen Gärten. Um eine mittelalterliche, aus einem einzigen Stück Buchsbaumholz gearbeitete Lautengitarre würdigen zu können, muß man sich das kostbare Instrument in der Hand eincs Spielmanns vorstellen, der zu Beginn des 14. Jahrhunderts am englischen Hof in melodiösen Minneliedern die reizvollen Blüten des Frühjahrs besingt (Abb. 99). Die seitlichen Wangen der Lautengitarre sind mit Schnitzereien verziert, in denen zwischen Reben, Weißdorn und Eichenblättern winzige Jäger auf die Pirsch gehen und den Monatsbildern der Kalender nachempfundene Szenen die typischen jahreszeitlichen Tätigkeiten zeigen – der Monat Dezember etwa wird durch einen Mann verkörpert, der Eicheln zur Schweinemast sammelt. In der zeitgenössischen Lyrik wurde die Botschaft dieser kunstvollen Holzschnitzereien mit sanften Melodien und ausgesuchten Worten besungen: »Ich bin so glücklich wie ein munterer Vogel auf einem Busch, sobald ich diese anmutige Frauengestalt, die schönste von allen im Saale, erblicke. Ihr makelloser, weißer Körper und ihr liebliches Gesicht machen sie zur Blume, zur Blume über alle.« Auch hier sind das Monströse und Magische nicht weit vom Natürlichen entfernt: Die Lautengitarre hat die Form eines Drachen mit grün leuchtenden Augen, fledermausähnlichen Flügeln und furchterregenden Zähnen.

Diese Kombination magischer Phantasie und organischer Natur kennzeichnet auch ein Kräuterbuch aus dem 14. Jahrhundert, das sich mit dem medizinischen Nutzen provenzalischer Heilpflanzen befaßt (Abb. 100). Seine Abbildungen künden von den »Geheimnissen der Natur«, die nur der Künstler oder der Alchimist zu entschlüsseln vermag; sie beschreiben eine Welt, in der jedem Ge-

99 Lautengitarre mit dekorativen und figürlichen Schnitzereien, ca. 1290-1330. Holz, 61 cm lang. British Museum, London

100 Der Süßholzbaum sowie die wundersame Entstehung und die Gewinnung des Lapislazuli. Kräuterbuch, ca. 1320. Buchmalerei auf Pergament, 29,3 x 21 cm. Biblioteca Nazionale, Florenz

Der geheimnisvoll glitzernde blaue Stein, dessen Entstehung auf die natürliche Kraft der Sonnenstrahlen zurückzuführen ist und über den die übernatürlichen Kräfte des Drachen wachen, wird rechts von einem Mann mit Spitzhacke abgebaut. Lapislazuli zählte zu den bekanntesten und kostbarsten Pigmenten gotischer Kunst.

genstand magische Kräfte innewohnen. Meist werden die Heilpflanzen wie isolierte Muster inmitten eines Rahmens dargestellt, umgeben von seltsamen Kreaturen, die entweder auf gartenbauliche oder medizinische Aspekte der jeweiligen Pflanze verweisen. Der Süßholzbaum zur Linken ist nicht nach der Natur gezeichnet, sondern wie der Text aus einer älteren Vorlage übernommen. Auf der gegenüberliegenden Seite ist ein im Erdreich funkelnder Fels zu sehen, der für Kunst und Medizin gleichermaßen bedeutende, leuchtendblaue Lapislazuli. Der Halbedelstein stand im Ruf, innere Hitze kühlen zu können, und wurde gegen Fieber verabreicht und gegen Blindheit auf die Augen aufgetragen. Allerdings beschreiben die herrlichen Miniaturen des Kräuterbuchs nicht die Verwendung des Steines, sondern seine Gewinnung aus dem Erdreich. Der Legende nach wurde der Stein, dessen heilende Eigenschaften auf die tief in die Erde eindringenden Sonnenstrahlen zurückgeführt wurden, von einem Drachen bewacht. Dies ist ein typisches Beispiel dafür, daß »Natur« selbst in den Augen der Wissenschaftler eine magische Mischung natürlicher und übernatürlicher Elemente darstellte. Albertus Magnus (1200-1280), der deutsche Philosoph und *doctor ecclesiae*, glaubte, antike Kameen verdankten ihre Entstehung den Sternen oder dem Sonnenlicht, da derart schöne Stücke nie und nimmer von Menschenhand gefertigt sein konnten. Verwundert es angesichts dieser wundersam beseelten Erde, in der es von geheimnisvollen Vorzeichen und seltsamen Begebenheiten nur so wimmelte, daß die mittelalterlichen Menschen die Dinge nicht so sehen wollten, wie sie sich im schwachen Tageslicht ihren Augen darboten, sondern ihnen – selbst in nichtreligiösem Kontext – übernatürliche Bedeutung zuschrieben?

Der Garten als künstlich angelegte, sowohl ästhetischen als auch wirtschaftlichen Zwecken dienende Natur stellte eine Konvention in der Liebesdichtung dar, die gelegentlich dem Einfluß des muslimischen Spanien zugeschrieben wird. In den Artusromanen dient der Garten als Stätte erotischer Abenteuer, und im *Roman de la Rose*, der populärsten zeitgenössischen Dichtung, wird er gar zum Schauplatz einer umfassenden Liebesallegorie. Im 14. Jahrhundert ging man dazu über, selbst Innenräume in künstliche Gärten umzugestalten. Das 1343 ausgemalte Chambre du Cerf im Papstpalast zu Avignon stellt nicht etwa – wie bisweilen behauptet wird – die Landschaft um ihrer selbst willen dar (Abb. 101). Die Gemälde zeigen vielmehr jene Belustigungen, denen sich privilegierte Gesellschaftsgruppen hinzugeben pflegten, die nicht – wie die Bauern – ans Land gebunden waren. Päpste, Könige und adlige Herren schätzten den undurchdringlichen Wald nicht wegen seiner wilden Schönheit, sondern als Jagdgebiet und wegen seiner Naturreichtümer. Die unberührte Natur war zu wild und mit zu vielen negativen Assoziationen belastet, um als Motiv für die Künstler zu dienen, die ihrerseits die Natur durch ihre künstliche Darstellungsweise zu zähmen versuchten. Dieser ausgeprägte Hang zur Zähmung alles

101 Ländliche Szenen, 1343. Fresko, Chambre du Cerf im Papstpalast, Avignon

Wilden ist ein auffälliger Wesenszug profaner Dekoration, die in Form von Wandgemälden und Tapisserien die Außenwelt nach innen holte. Abgesehen von kleinen, dem Anbau von Kräutern und Heilpflanzen dienenden Klostergärten, scheinen private Gärten zunächst vor allem auf städtischem Boden, in den Freien Reichsstädten Italiens und Deutschlands entstanden zu sein.

Ein wunderbares kleines, um 1410 datiertes Tafelbild vom Mittelrhein (ein typisches Beispiel des wegen seiner auffallend weiten Verbreitung sogenannten Internationalen Stils, auch Schöner Stil genannt) zeigt eine derart große Vielfalt von Pflanzen und entzückend dargestellten Sinnesfreuden, daß der religiöse Charakter des Kunstwerks auf den ersten Blick vermutlich nicht zu erkennen ist (Abb. 102). Das kunstvolle Phantasiegemälde stellt die Jungfrau Maria als verschlossenen Garten, den *hortus conclusus*, dar. Die religiösen Symbole innerhalb des von einer Mauer geschützten Zufluchtsortes sind höfisch stilisiert. Die Jungfrau Maria blättert in einem Buch, während ihre Bediensteten Kirschen pflücken, Wasser aus einem Brunnen schöpfen und auf den kleinen Christusknaben achtgeben, der auf dem Psalterium der heiligen Cäcilia spielt. Statt goldener Heiligenscheine tragen die Figuren Blumenkränze. Die drei im Schatten eines Baumes sitzenden männlichen Heiligen haben ihre dämonischen Widersacher auf die Größe von Schoßhunden reduziert. Auch im vorliegenden Gemälde fließen religiöse und profane Traditionen gotischer Kunst zusammen. Leider ist nicht bekannt, für wen dieses kleine Gemälde angefertigt wurde. Möglicherweise gehörte es einem wohlhabenden Städter, vielleicht einem Kaufmann, der zu der Natur des Miniaturgartens ein ähnlich entferntes, ja nostalgisches und von Träumerei geprägtes Verhältnis hatte, wie die modernen Kunstliebhaber es später entwickelten.

Vorlagen- und Musterbücher

Zur Illustration des neuen Naturverständnisses wird häufig eine bekannte Löwenskizze aus dem Vorlagenbuch des Villard de Honnecourt (tätig 1230-1235) herangezogen. Voller Stolz hat der Künstler darauf vermerkt: »Wisset wohl, daß er nach dem Leben abgezeichnet ist« (Abb. 103). Der Begriff für »abgezeichnet« lautet im Original *contrefait*, was damals neben »abbilden« auch »nachahmen«, »fälschen« hieß. Im Zeitalter der Gotik erhoben die Künstler keinen Anspruch auf eine persönliche Note. Künstler galten als Hersteller und Handwerker. Die von ihnen angefertigten Werke waren laut Aussage von Hugo von Saint-Victor letztlich allesamt Fälschungen: »Des Menschen Werk wird, da es nicht die Natur, sondern nur die Nachahmung der Natur darstellt, mit Recht als mechanisch und folglich als verfälscht bezeichnet.« In der Tat fertigte Villard seine Skizze nicht anhand einer lebendigen Vorlage an – die Episode der Löwenzähmung war nämlich ein in mittelalterlichen Enzyklopädien verbreiteter Gemeinplatz. Die gesamte Skizze ist früheren Löwendarstellungen in der Kunst nachempfunden und nicht irgendeinem lebendigen Tier. Selbst wenn der Löwe nicht »nach dem Leben« gezeichnet wurde, ist die Inschrift, in der Villard eben dieses behauptet, dennoch aufschlußreich. Offensichtlich gab es in der damaligen Welt Dinge, die man unbedingt festhalten wollte und für deren Äußeres der Bildermacher sich verbürgen konnte. Gerade weil mittelalterliche Künstler die Welt nicht so

103 **Villard de Honnecourt**
(tätig 1230-1235)
Der »*nach dem Leben gemalte Löwe*«, Vorlagenbuch, ca. 1235. Federzeichnung auf Pergament, 24 x 16 cm. Bibliothèque Nationale, Paris

104 Tiere und der Jagd gewidmete Randszenen an einem Fragment des abgerissenen Lettners aus der Kathedrale von Chartres, ca. 1220, 107 x 121 cm

Die im Jahr 1763 abgerissene, nur in Fragmenten erhaltene Chorschranke von Chartres enthielt Reliefs mit erzählerischen Motiven wie Christi Geburt oder Tierbilder. Sie stellte eine zweite Fassade innerhalb der Kirche dar und grenzte den Kanonikern vorbehaltenen Chorraum von dem im Kirchenschiff versammelten Laien ab.

abbildeten, wie sie sich ihrem Auge darbot, mußte Villard mit diesem Zusatz die Naturtreue seiner Skizze dokumentieren. Ebenso versah er die Gebäudedarstellungen in seinem Vorlagenbuch mit Inschriften, denen zu entnehmen ist, daß er sie persönlich aufsuchte, auch wenn die Forschung vielfach davon ausgeht, daß es sich um Kopien aus anderen Werken handelt.

In der Kathedrale von Chartres zierte einst ein prächtiger Löwe den inzwischen abgerissenen Lettner, der die im Schiff versammelten Laien von dem – ausschließlich Geistlichen vorbehaltenen – Chorraum trennte (Abb. 104). Sowohl der Löwe als auch die übrigen Tiere der Chorschranke erinnern aufgrund der isolierten Präsentation in Medaillons an die Darstellungen zeitgenössischer Tierbücher oder Bestiarien. Die um das zentrale Medaillon angeordneten Szenen zeigen unter anderem eine Jagd und einen entsetzten, vor einer riesigen Schlange fliehenden Ritter – vielleicht eine geistliche Kritik weltlicher Werte. Diese Vermutung wird dadurch erhärtet, daß die naturalistischen Rundbilder offensichtlich nicht für das Laienvolk bestimmt waren, da sie sich allesamt an der dem Chor zugewandten Innenseite des Lettners befanden und folglich nur aus der Perspektive der Geistlichen zu sehen waren. Sie verkörperten eindeutig die jenseits der Chorschranke und des heiligen Chorraumes liegende »Natur« – eine Welt voll Eitelkeit und roher Gewalt, über die Löwe und Drache herrschten.

Die Visionen des Dichters Dante Alighieri (1265-1321) liefern poetische Gegenstücke zu vielen im vorliegenden Buch geschilderten Theorien bezüglich der Auffassung von Raum, Zeit und Natur. *La Divina Commedia* gipfelt zwar in der vierten, mystischen Stufe mit dem Anblick des lichtdurchfluteten Paradiso, beginnt jedoch in der Hölle, im Inferno (»in einem finstern Wald, weil ich vom rechten Pfad gelenkt die Schritte«), in der drei symbolische wilde Tiere – darunter ein Löwe – lauern (Abb. 105). Ein Sieneser Buchmaler illustrierte die *Göttliche Komödie*. Zunächst erwacht Dante inmitten eines Waldes aus dem Schlaf und gewahrt in der

105 Dantes Traum im dunklen Wald und seine Begegnung mit den wilden Tieren. Kapitel *Inferno* am Beginn der *Divina Commedia*. Buchmalerei auf Pergament, 36,3 x 10 cm. Biblioteca Communale Augusta, Perugia

Ferne einen im Sonnenlicht liegenden Berg. In der nächsten Szene schickt er sich an, den Berg zu besteigen und trifft auf die drei Bestien. Als erstes erblickt er einen lechzenden Leoparden, gefolgt von einem stolzen Löwen, und weiter rechts hindert ihn ein gieriger Wolf daran, seinen Weg fortzusetzen. Die psychologische Wirkung der einzelnen Situationen auf den visionären Betrachter werden detailliert geschildert. Die wiederholte Abbildung seiner Gestalt mag uns heute »unnatürlich« vorkommen, vermittelte jedoch auf geschickte Weise den Eindruck einer sich fortentwickelnden Handlung. Die Illustration zu Dantes Vision zeigt, welch enorme Möglichkeiten in der sogenannten narrativen Darstellungsweise steckten. Dieses Verfahren bewährte sich so sehr, daß es von manchen italienischen Malern noch zu Beginn des 16. Jahrhunderts angewandt wurde.

Die Philosophie des in Paris und Oxford lehrenden englischen Wissenschaftlers Wilhelm von Ockham (ca. 1285-1349) gründete

106 Vorlagenbuch mit Tierskizzen, ca. 1400. Tusche auf Pergament. Pepys Library, Magdalene College, Cambridge

Abgesehen davon, daß sämtliche Tiere ohne Rücksicht auf die tatsächlichen Größenverhältnisse abgebildet sind, werden Realität und Mythologie – in Gestalt eines Drachen mit gerolltem Schwanz – miteinander vermischt. Während der sich drehende Löwe oder die Katze auf natürlicher Beobachtung beruhen könnte, wurde der Drache wahrscheinlich von einer Tapisserie oder einem Wappenschild übernommen.

auf der visuellen Erfahrung und sah im Auge das primäre Organ der Erkenntnis. Ockhams Lehre – dem sogenannten »Nominalismus« – zufolge waren nur »absolute Dinge« wirklich existent. Ein englisches Vorlagenbuch mit Tierbildern, die keineswegs als Universaltypen, sondern jeweils als individuelle Skizze »eines Schafes«, »eines Pferdes« und »einer Katze« konzipiert sind, scheint in gewisser Weise das visuelle Gegenstück zu Ockhams Nominalismus darzustellen (Abb. 106). Eine direkte Verbindung zwischen philosophischer Lehre und künstlerischer Praxis herstellen zu wollen, wäre jedoch falsch. Die fragliche Zusammenstellung von Tierbildern besitzt nämlich durchaus Züge einer Mustersammlung. Da auf tatsächliche Größenverhältnisse keine Rücksicht genommen wird, können die willkürlich aneinandergereihten Kreaturen ohne weiteres in einen anderen Kontext übernommen werden. Bei dem oberhalb der Katze und der Maus abgebildeten Tier könnte es sich um einen aus ungewohnter Perspektive skizzierten Löwen handeln, während der Drache mit seinem sich kringelnden Schwanz in das Reich der Fabel verweist. Die stark schematische Art der Darstellung legt die Vermutung nahe, daß dieses Musterbuch Glasmalern oder Stickereikünstlern als Vorlage diente. Derartige Sammlungen sind schwierig zu datieren, da sie häufig über ein ganzes Künstlerleben, ja über mehrere Generationen hinweg ergänzt und überarbeitet wurden. Im vorliegenden Fall werden die Tierskizzen von einer später hinzugefügten Serie farbenprächtiger, deutlich naturalistischerer Vogelzeichnungen überlagert. Die fragmentarische Art der Präsentation in diesem Vorlagenbuch birgt einen zentralen Aspekt der Naturdarstellung in der gotischen Kunst: Anstatt die Natur als ein Ganzes zu begreifen, suchten die gotischen Künstler aus eigens angefertigten Bruchstücken eine neue Welt zusammenzusetzen.

Randverzierungen in Handschriften zeugen als erste von einer neuen, zusammenhängenderen Sicht der Natur. Die in Büchern aus dem späten 15. Jahrhundert abgebildeten, naturalistischen Blumen haben Vorläufer in Gestalt einer einzigartigen lateinischen Abhandlung über die Sieben Laster, die – gegen Ende des 14. Jahrhunderts in Genua verfaßt – Vögel und Insekten auf neuartige Weise darstellt (Abb. 107). Die Ränder einer Jagd- und Beizjagdszene schmücken zahlreiche Vogeldarstellungen, welche die Tiere nicht als isolierte stehende Muster, sondern im Fluge zeigen. Oben auf der Seite künden Aas fressende Raben und Geier von der Grausamkeit der Natur. In der Ferne sieht man anhand von Flugbahn und Formation eindeutig zu unterscheidende Rebhuhn- und Entenschwärme durch die Luft gleiten. Andernorts findet man detaillierte Darstellungen von Schalentieren, Krebsen und Insekten, deren Beobachtung aus nächster Nähe auf ein ausgeprägtes Interesse für die winzigsten göttlichen Kreaturen schließen läßt.

Im späten 13. Jahrhundert wurde mit der Erfindung der Augengläser eine eingehendere Betrachtung der Natur möglich. Der Kapitelsaal von Treviso enthält einen ausgesprochen »scholastischen« gotischen Freskenzyklus: eine idealisierte Porträtgalerie von Mitgliedern des Dominikanerordens. Wissenschaftliche und technische

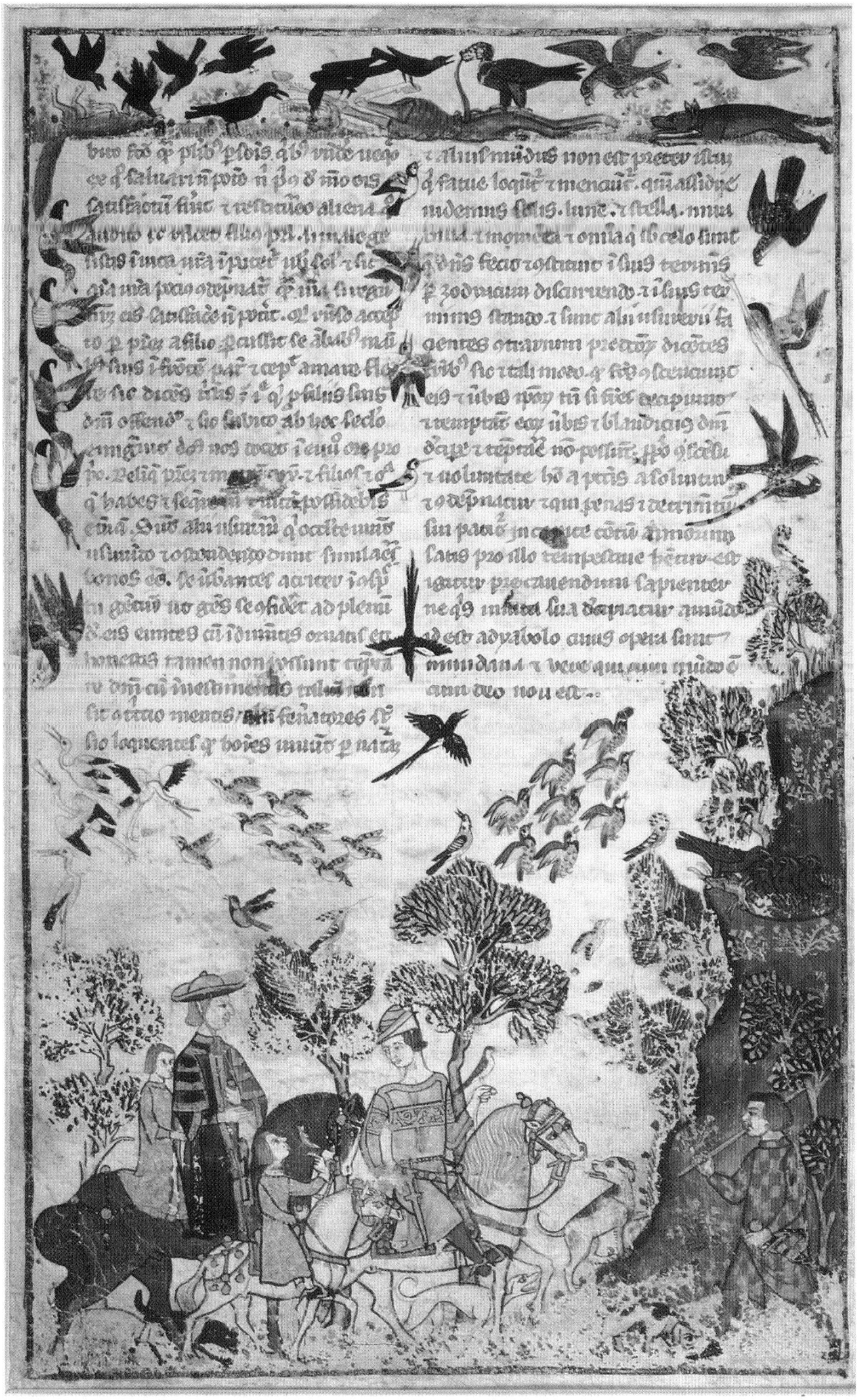

Errungenschaften sind – als Voraussetzung für die gelehrten Studien – ebenfalls zu sehen: Neben Pulten, Büchern und Stiften finden sich unlängst entwickelte optische Instrumente wie beispielsweise Lupen. Kardinal Nikolaus von Rouen blickt angestrengt durch ein Lupenglas auf seinen Text, als ob er an dessen Rand eine winzige Miniatur studiere (Abb. 108). Neben ihm widmet sich Thomas Joyce der uralten wissenschaftlichen Übung des Textvergleichs. Selbst diese vergleichende Tätigkeit verweist auf die neue, eingehende Betrachtung, der im 14. Jahrhundert Welt und Wort unterzogen wurde. Für den Künstler, der nur wenig Ahnung von den philosophischen Kontroversen über die Beschaffenheit der Dinge besaß, offenbarte sich der Widerspruch zwischen der theoretischen Welt des Buches und der realen Welt in seiner handwerklichen Praxis. Wurde er mit der Anfertigung eines Bildnisses betraut, griff er weder auf Menschen noch auf Ereignisse zurück. Er verfügte bereits über alle nur erdenklichen Modelle – wovon viele älteren Vorlagen entnommen oder von anderen Künstlern »abgekupfert« waren – in den kostbaren Seiten seines Musterbuches.

Vorlagenbücher spielten eine zentrale Rolle bei der Ausbreitung der gotischen Formensprache. Sie waren in ganz Europa zu finden, in England (s. Abb. 106) ebenso wie in Italien, wobei die italienischen Exemplare sich durch eine besonders naturalistische Darstellungsweise auszeichnen. Selbst für die tonangebenden lombardischen Künstler an den norditalienischen Höfen beherrschte immer noch das Wort das Bild. Die Natur wurde somit zu einer Art Bilderrätsel wie in jenem wunderbaren Figurenalphabet, das Giovanni de Grassi († 1398) und dessen Nachfolger malten (Abb. 109). Die einzelnen Lettern haben Musterbuchformat, obgleich es sich eher um prächtige Neuschöpfungen als um Nachahmungen natürlicher Vorbilder handelt. Der Buchstabe K setzt sich aus behaarten Wilden zusammen, kämpfende Ritter bilden das Q, während das R aus einer erstaunlichen Ansammlung von Tieren und sogar Insekten besteht! Bezeichnenderweise sind Tier und Mensch stets streng voneinander getrennt. Auf diese Weise wird sowohl die natürliche Ordnung als auch die höfische Etikette gewahrt. Dadurch unterscheiden sich die Figuren von einer anderen, für das neue Naturverständnis ebenfalls unabdingbaren Tradition innerhalb der gotischen Kunst: die Darstellung des Monströsen, die ganz eng an die Welt des Menschen, nicht an jene der Tiere anknüpft.

Gegenüberliegende Seite:
107 Falkenjagd mit Vogeldarstellungen am Rand. Genueser Abhandlung über die Sieben Laster, ca. 1370. Buchmalerei auf Pergament, 16,5 x 10,2 cm. Britisch Library, London

108 Tommaso da Modena
Kardinal Nikolaus von Rouen, ca. 1351-1352. Fresko im Kapitelsaal, Treviso

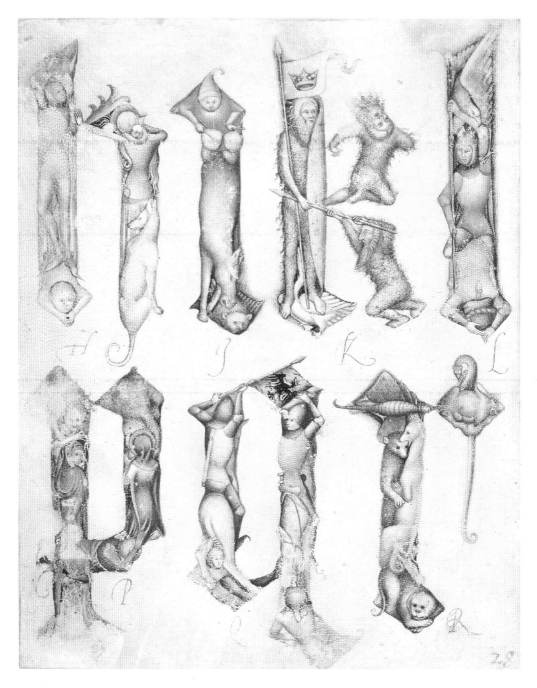

109 Giovannino de' Grassi († 1398)

Die gotischen Buchstaben *h* bis *l* und *p* bis *r*, Vorlagenbuch, 1390. Buchmalerei auf
Pergament, ganzseitig, 26 x 18,5 cm. Biblioteca Civica, Bergamo.

Das von zwei Reitern gebildete *q* fand später Eingang in das gravierte Figurenalphabet
des deutschen Malkünstlers Meister E.S. aus den sechziger Jahren des 15. Jahrhunderts.
Dies zeigt, welch anhaltender Beliebtheit sich diese phantasievollen Entwürfe erfreuten.

Das Monströse und der Tod

In der Mariae Himmelfahrt geweihten Kathedrale von Aosta wird der Blick des Betrachters nicht nur nach oben gelenkt. Die Holzschnitzereien des Chorgestühls verweisen vielmehr auf die unteren Körperpartien des Menschen, die eng mit Sünde und Sexualität verbunden sind (Abb. 110). In der gotischen Kunst gibt es zahllose Beispiele für unrühmliche Darstellungen menschlicher Hinterteile, die in Form von Wasserspeiern von den Dächern der Kathedralen auf den Betrachter herabstarren. Aberhunderte anstößiger Aktdarstellungen finden sich zum einen am Rande von ausgemalten Handschriften und zum anderen als geradezu schockierende Figuren in den Holzschnitzereien der Miserikordien (Stützen, die – vorne unter den Sitzen des Chorgestühls angebracht – bei aufgeklapptem Sitz zum Auflehnen benutzt wurden), die inmitten des heiligen Kirchenraums ihr Unwesen treiben. Diese grotesken Gestalten signalisieren einen wichtigen Aspekt gotischer Kunst, der in mehrfacher Hinsicht die romanische Tradition fortsetzt. Auch in der Romanik verkörperten monströse, halb aus Mensch, halb aus Tier bestehende, entstellte und abartig verzerrte Kreaturen in Skulptur und Malerei die niederen, tierischen Instinkte der menschlichen Natur. Das gotische Monstrum präsentiert sich jedoch anders. Grund dafür ist der menschliche Körper selbst, der keine reptilienhaften Schuppen oder hybriden Züge mehr aufweist und zum eigentlichen Sinnbild fleischlicher Sünde wird. Dies war jedenfalls die Sichtweise der Geistlichen. Die grotesken Darstellungen lassen sich auch als volkstümliche Belustigungen für weniger orthodoxe Gemeinschaften interpretieren. Eine das Zusammentreffen von Mund und Anus (jene beiden Körperöffnungen, durch die der Mensch Nahrung zu- und abführt) zeigende, vermutlich die Erneuerung der Erde symbolisierende Miserikordie in der Kathedrale von Aosta kann als Auswuchs des Karnevals gedeutet werden. Derlei ungewöhnliche Darstellungen fallen auch unter die Rubrik Bilderzauber: ein zentraler Aspekt gotischer Kunst. Die grotesken, den Betrachter unmittelbar fixierenden Kreaturen üben eine apotropäische Funktion aus – sie wenden Unheil ab. Nicht in den stets wiederkehrenden typologischen Szenen der Heilsgeschichte oder in den kunstvollen, von Baldachinen bekrönten Nischen sind die freizügigsten gotischen Figuren zu finden, sondern unter diesen weitaus komplexeren und zweideutigen Randgestalten.

Solch polymorphe Geschöpfe zieren allerdings nicht nur Randbereiche gotischer Sakralbauten oder Handschriften, sondern auch auserlesene

110 Kathedrale von Aosta, Akrobatisch verdrehte, sich selbst am After leckende Figur, ca. 1480. Miserikordie aus Holz

Die Schnitzerei am Chorgestühl war nur für die Kanoniker zu sehen. Miserikordien dienten dazu, den Kanonikern das stundenlange Stehen während der liturgischen Gebete zu erleichtern – daher ihr Name (wörtlich »Barmherzigkeit«). Die oft anzüglichen Schnitzereien inspirierten sich offensichtlich an jenem Körperteil, mit dem diese Klappsitze für gewöhnlich in Berührung kamen.

Luxusartikel. So weist ein kleiner, mit Emaille und Gold verzierter, silberner Wasserkrug eine ebenso reichhaltige Symbolik auf wie ein liturgisches Gefäß (Abb. 111). Nichts ist ausschließlich Dekoration, schon gar nicht in der gotischen Kunst, obwohl derartige Objekte nach wie vor dieser Kategorie zugeordnet werden. Bei dem Kelch handelt es sich um ein *pochon temproir* – die eigentümliche Bezeichnung rührt daher, daß man mit jenem Gefäß, in dem das Wasser zum Verdünnen des Weines kredenzt wurde, die Tugend der Mäßigung assoziierte. In den Dienst der Nüchternheit gestellt, war der Krug selbst alles andere als nüchtern. Die auf der Wölbung des Bauches abgebildeten Szenen erzählen im Rahmen einer Fabel oder eines Romans von einem Fest und zeigen Vertreter des bäuerlichen Standes und des Adels bei geselligen Vergnügungen, wie sie bei den vornehmen, zeremoniellen Feiern, bei denen dieser Krug kreiste, nie und nimmer vorkamen. Jene ganz oben scheinen die harmlosen Folgen von nur geringfügigem Alkoholgenuß vor Augen zu führen: In ihnen wird ungezwungen herumgetollt, kleine Jungen geben sich ausgelassenen Spielen hin, zu denen auch Stelzenlaufen und Blindekuh zählen. Dagegen flößen die Gestalten der leuchtenden Emaillearbeiten am Henkel und in den Dreipaßbögen des Fußes Angst ein – ihre monströsen Körper künden von übermäßigem Alkoholgenuß. Die hybriden Fratzen, die in Anlehnung an den Begriff »baboons« (Affengesichter) »babewyns« oder »babouins« heißen, haben menschliche Oberkörper und tierische Unterleiber. Offensichtlich orientierte sich der Goldschmied dieses Kruges an der zeitgenössischen Vorliebe für jene Phantasiegeschöpfe, die durch den Pariser Buchmaler Jean Pucelle verbreitet wurden und auch am Rande prächtig verzierter Gebetbücher für hohe Geistliche zu finden sind (Abb. 112).

Tierreich und Menschenreich werden in der gotischen Kunst in der Regel streng auseinandergehalten. Mensch und Tier, Heiliger und Schlange sind allerorten – an den gewaltigen Kathedralen ebenso wie auf der kleinsten Brosche – deutlich getrennt. Einzig und allein im Monstrum oder »babewyn« verschmelzen ihre Körper zu einer Einheit. Diese ungewöhnlichen Darstellungen stammen aus jener Zeit, in der Kirchenrechtler erstmals unter Berufung auf die »Natur« normative Verhaltensvorschriften erließen und Praktiken wie Sodomie und Masturbation als »wider die Natur« verurteilten, da sie den Menschen auf die Ebene eines Tieres herabsetzten. Jene hybriden Kreaturen, die – halb Mensch, halb Ziegen-

111 Wasserkrug mit Szenen aus einem Ritterroman und monströsen Randverzierungen, 1320-1330. Vergoldetes Silber und durchscheinendes Emaille, 22,5 cm hoch. National Museum, Kopenhagen

tu penbunt.   nitatis uestre.

bock – häufig den Hintergrund herrlicher gotischer Tapisserien, Bibeln und Psalter bevölkern, stellen oft unzulässige Paarungen dar, über die zwar nicht gesprochen werden durfte, deren Abbildung jedoch erlaubt war.

Wie schon erwähnt, wurde der Mensch wurde als letztes aller göttlichen Geschöpfe von der naturalistischen Tendenz innerhalb der gotischen Kunst erfaßt. Dies mag daran gelegen haben, daß seit dem Sündenfall der nackte menschliche Körper als anstößig und verwerflich galt. Menschliche Seelen durften zwar nackt dargestellt werden, doch bildeten die gotischen Künstler eher harmlose Babygestalten ab als voll entwickelte Männer und Frauen. Dennoch findet sich in Bourges eine nackte Frauengestalt, deren sinnliche – einer antiken Venus nachempfundenen – Formen allerdings von den ewigen Flammen aufgezehrt werden. Der zerbrechliche und linkische Körper eines Adams, der für das südliche Querschiff der Pariser Kathedrale Notre-Dame bestimmt war, bildet das männliche Gegenstück zu der Verdammten (Abb. 113). Während sich die antiken Apollostatuen durch ihre ausgewogene Mischung abstrakter Proportionen und plastischen Muskelspiels auszeichneten, verkörpert der gotische Adam den Vater aller fleischlichen Sünde. Durch den Sündenfall sichtlich in tiefe Verlegenheit gestürzt, veranschaulicht Adam jene Bibelstelle, an der es heißt: »Da wurden ihrer beider Augen aufgetan, und sie gewahrten, daß sie nackt waren« (1. Mose 3,7). Adams schuldgeplagte Gestalt sucht ihre vor kurzem entdeckte Sexualität hinter einem Dickicht zu verbergen, das zwischen den Beinen emporsprießt und in Wirklichkeit mehr betont als verbirgt. Die feinen, resignierten und introvertierten Gesichtszüge Adams mögen für den unten im Querschiff stehenden Betrachter schwer zu erkennen gewesen sein – die deutlich abwehrende Haltung und die Ungeheuerlichkeit seiner sündigen Verfehlung waren jedenfalls nicht zu übersehen.

Gotische Bildhauer waren stets um eine plastische Wiedergabe jener menschlichen Körper bemüht, die laut Aussage der Theologen

112 Monströse Darstellungen am unteren Rand eines kluniazensischen Psalters, ca. 1320. Buchmalerei auf Pergament, ganzseitig, 34,7 x 23 cm. Beinecke Library, Yale University

Die typischen Beispiele für jene phantasievollen und obszönen Ungeheuer, die sich am Rande aus dem Osten Englands stammender, zeitgenössischer Handschriften fanden, zieren das persönliche Gebetbuch eines Mönches.

bereits dem Tod geweiht waren. Ironischerweise ergriff die naturalistische Darstellung als erstes vom Leichnam Besitz. Erst wenn der menschliche Körper den Würmern zum Fraß diente, konnte er zum Objekt der Kunst werden. Gotische Maler und Bildhauer besaßen unter anderem deshalb nur geringe Kenntnisse in menschlicher Anatomie, weil das Sezieren oder Analysieren von Toten kirchlich verboten war. An den Universitäten von Bologna und Paris bahnte sich jedoch ein diesbezüglicher Wandel an. Eine zeitgenössische Abbildung zeigt Guido de Vigevano, den Leibarzt der Königin von Frankreich, wie er einen aufgebahrten Leichnam mit der Eleganz eines höfischen Liebhabers umarmt und dessen Unterleib aufschlitzt, um in einer ganzen Folge von Illustrationen die Ausweidung des Körpers zum Zwecke anatomischer Studien zu zeigen (Abb. 114). Der mit einem gotischen Rahmen verzierte, flach aufgebahrte, aber von oben abgebildete Leichnam scheint bereits halb skelettiert. In seiner Abhandlung schreibt Guido de Vigevano: »Da die Kirche das anatomische Zerlegen menschlicher Körper verboten hat,....werde ich, Guido, die Anatomie des menschlichen Körpers in meinen Zeichnungen klar und deutlich darstellen – genau so, wie sie im menschlichen Körper zu finden ist –, so daß die darin befindlichen Teile in den Bildern genau zu sehen sind und vielleicht sogar besser als im menschlichen Körper selbst, denn wenn wir einen Körper sezieren, müssen wir sehr zügig vorgehen, wegen des entstehenden Gestanks.« Die Bilder zeichnen sich neben der übersichtlicheren Anordnung gegenüber der Realität also auch dadurch aus, daß sie keinen unangenehmen Geruch verbreiten.

Guido Vigevano selbst fiel vermutlich jener – auch als Schwarzer Tod bezeichneten – Welle der Beulenpest zum Opfer, die in den Jahren 1348/49 ganz Europa heimsuchte und schätzungsweise ein Drittel der Bevölkerung dahinraffte. Seine königlichen Patienten blieben ebensowenig verschont. Bona von Luxemburg, die gerade erst Königin von Frankreich geworden war, ereilte 1349 der Tod. Immer wieder hatte sie eingehend die Todesdarstellungen in ihrem prächtig ausgemalten Stundenbuch studiert. Eine kunstvolle Miniatur von Jean Le Noir dient als Titelblatt zu einer als »überaus wunderbares und furchteinflößendes Beispiel« charakterisierten Dichtung, die auch als die Legende von den drei Lebenden und den drei Toten überliefert ist (Abb. 115). Den drei jungen Reitern zur Linken steht rechts eine makabre Vision ihres eigenen Schicksals in Gestalt dreier Kadaver gegenüber. Die Augen des ersten sind geschlossen, seine Hände gekreuzt, als ob er auf dem Totenbett läge. Er spricht zu den jungen Reitern: »Wir waren, was Ihr seid, und Ihr werdet, was wir sind!« Die Augen des zweiten sind bereits vom Gewürm zerfressen,

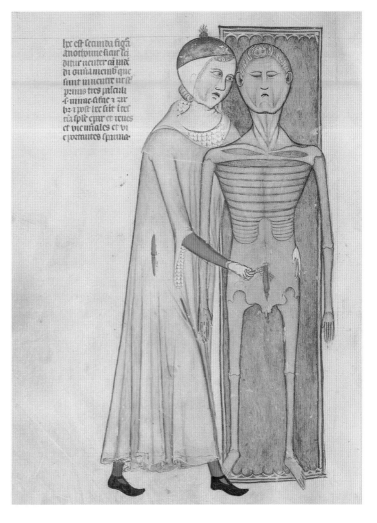

obwohl noch vereinzelt Fleischfetzen an seiner schaurigen Gestalt hängen. Die dritte Figur, das ganz rechts abgebildete Gerippe, scheint die klaffende Mundöffnung zu einem hämischen Grinsen zu verziehen, während die Glieder schlaff herunterhängen. Die Ränder sind mit dem Wappen Bonas von Luxemburg und mit naturalistischen Vogeldarstellungen verziert; eine sich ganz in die obere Ecke drängende Gestalt scheint vor dem Verwesungsgeruch der unten abgebildeten Kadaver zurückzuweichen. In der Tat mag die Pestwelle das aufkommende Interesse an der Natur gefördert haben, galt das flache Land doch als sicherer Zufluchtsort vor dem Schmutz der Städte, dem man die Schuld an der Seuche zuschrieb.

Über das Jahr 1348 und die Auswirkung der Pestwelle auf das künstlerische Schaffen in ganz Europa ist schon viel geschrieben worden. Gewiß ist eine ganze Reihe bedeutender Künstler der ersten Pestepidemie zum Opfer gefallen, doch wurde das gesamte

115 Jean Le Noir (tätig 1331-1375)

Die drei Lebenden und die drei Toten, Psalter und Stundenbuch der Bona von Luxemburg, vor 1349. Grisaille, Farbe, Gold und braune Tusche auf Velin, 12,5 x 9,1 cm. The Metropolitan Museum of Art/ The Cloisters Collection, New York, fol. 321 verso und fol. 322 recto

Si com la matiere no conte
Il furent si co duc ou conte.
Tuns noble home de grīt auoyr
Et de genal com fil a roy.

Jahrhundert periodisch von der Seuche heimgesucht. Die Folgen waren wesentlich komplexer und langwieriger; dies erklärt auch, weshalb sich die psychologische Wirkung auf die Überlebenden mit einem gewissen Verzögerungseffekt erst gegen Ende des Jahrhunderts niederschlug. Im späten 14. Jahrhundert kam der Tod an den Höfen Europas offenkundig »in Mode«. In den Städten entwickelte sich der Totentanz zu einem beliebten Motiv. Dabei führen – beispielsweise auf den wunderbaren Wandmalereien des *Cimetière des Innocents* in Paris – Skelette die Vertreter aller gesellschaftlichen Stände in einem makabren, tollkühnen Reigen an. Fast entsteht der Eindruck, als seien die Künstler bestrebt gewesen, die Natur nur in ihrem Verfall abzubilden und den flüchtigen Augenblick nicht des Lebens, sondern seines Gegenteils, des Todes, einzufangen.

Der 1402 verstorbene Kardinal de la Grange, Bischof von Amiens und einstiger Ratgeber König Karls V. von Frankreich, ließ bereits zu Lebzeiten in der Kirche St. Martial in Avignon mit den Arbeiten an seinem Grabmal beginnen. Mehr als fünfzehn Meter hoch und mit vielen Türmen bewehrt, zeigt das riesige Grab zuunterst den verwesenden Leichnam de la Granges (Abb. 116). Eine Etage höher ist er unversehrt und im Kardinalsgewand abgebildet. Dann folgen sechs weitere Figurenreihen, in denen unter anderem erneut der Kardinal – vor der Jungfrau Maria kniend – zu sehen ist. Das Grab symbolisierte den Aufstieg, den der Kardinal von der Erde gen Himmel zu vollziehen hoffte, und stellt ein bedeutendes frühes Beispiel für ein sogenanntes »Übergangsgrab« – des Übergangs vom Fleisch zum Gerippe – dar. Das Todeswerk galt erst dann als vollendet, wenn alles Fleisch von den Knochen abgefallen war. Kardinal de la Grange ließ seine fleischlichen Überreste in der Kathedrale von Amiens bestatten. Unter dem in Stein gehauenen verwesenden Kadaver in Avignon lag nur das Skelett des Kardinals. Wie viele damalige Adlige hatte der Kardinal verfügt, daß sein Leichnam aufgeteilt werden sollte, damit an verschiedenen Orten für sein Seelenheil gebetet werden konnte. Papst Bonifaz VIII. suchte die seinen Worten zufolge grauenhafte

116 Der Leichnam zerfällt zu Knochen. Grabmal des Kardinal de la Grange, 1402. Stein, 84 x 1,80 m. Musée Calvet, Avignon

117 Andrés Marçal de Sax (tätig 1393-1410) *Szene aus dem Martyrium des heiligen Georg*, rechter Flügel des Georgaltars, ca. 1400. Tempera auf Holz, 6,6 x 5,5 m (gesamtes Retabel). Victoria and Albert Museum, London

Zerstückelung der Leichen per Gesetz zu verbieten, doch erfreute sie sich weiterhin großer Beliebtheit vor allem im nördlichen Europa.

In einer Zeit, da keine Schmerz- oder Betäubungsmittel zur Verfügung standen, barg der Tod manchmal weniger Schrecken als das Leben. Der lebendige Körper wurde oft von unbeschreiblichen, nicht zu lindernden Qualen verzehrt. Gotische Künstler schilderten diese tödlichen Schmerzen in den Martyrien der Heiligen. Große spanische Altargemälde der Internationalen Gotik enthalten in ihren vielen Feldern besonders plastische Schilderungen von Folterszenen, in denen höhnisch grinsende Henkersleute ihren Opfern Fleisch von den Knochen reißen und die Haut abziehen (Abb. 117). Im flackernden Licht unzähliger Kerzen leuchteten die geschundenen Körper wie jener des heiligen Georg in ihrer ganzen makabren Pracht und dienten all jenen zur Identifikation, die

118 Opicino de Canistris

(1296-1355)

Afrika flüstert in Europas Ohr,
ca. 1340. Federzeichnung auf
Papier, 28 x 20 cm. Biblioteca
Apostolica, Vatikan

Die geraden Linien und in
wirnzigen Buchstaben
gehaltenen Inschriften, welche
die verschiedenen Schichten
der Zeichnung überdecken,
zeugen von Opicinos zwang-
haftem Streben, Gegen-
stände, Körper und Grenzen
zu einer prophetischen Vision
der Welt zu verbinden. Am
oberen Ende des italienischen
»Stiefels« hat er seine
Geburtsstadt Pavia
hervorgehoben und seine
eigene Person in das kunstvoll
konzipierte, aber rätselhafte
Universum einbezogen.

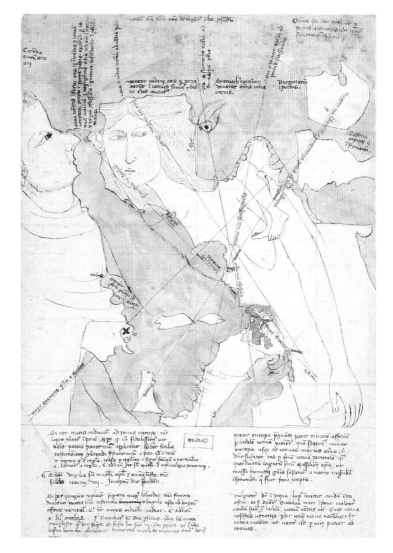

ebenfalls furchtbare Qualen litten und sich gut in das bereitwillige Leiden der heiligen Märtyrer hineinversetzen konnten. Diese Todesbilder sind das typische Produkt einer Gesellschaft, die ständig von Kriegen heimgesucht wurde und daran gewöhnt war, daß Ketzer zur Volksbelustigung auf öffentlichen Plätzen körperlich gezüchtigt wurden. Während der nackte Körper des Menschen nur in den Randzonen Platz fand, wurde die nackte, sadistisch gequälte Gestalt Christi oder der Heiligen in den Mittelpunkt der Darstellungen gerückt.

Die Zeichnungen Opicino de Canistris (1296-1355), der als päpstlicher Sekretär an der Kurie von Avignon weilte, legen beredtes Zeugnis von Phantasien und Projektionen ab, die den menschlichen Körper zum Gegenstand haben. Zwei Handschriften enthalten eine Reihe phantastischer, fieberhafter Zeichnungen, die

Opicino seinen eigenen Worten zufolge heimlich anfertigte, nachdem ihn am 31. März 1334 eine seltsame Krankheit befallen hatte. Seine Schreibhand wurde zusehends schwächer, so daß er seiner Arbeit als Sekretär des Papstes nicht mehr nachkommen konnte; »bei religiösen Arbeiten hingegen erwies sich eben jene Hand als kräftiger denn je: All diese Bilder habe ich nämlich ohne jede menschliche Hilfe angefertigt.« Diese Worte zieren riesige Pergamentbögen mit kosmologischen Darstellungen und verblüffenden Selbstporträts in der Bibliothek des Vatikan. Die Papierseiten eines kleinformatigeren, tagebuchähnlichen Werkes künden von anderen Visionen, in denen Opicino in den geographischen Umrissen von Afrika und Europa zwei menschliche Gestalten erblickte (Abb. 118). Opicino kombinierte die neuen geographischen Erkenntnisse über den Verlauf der Küsten mit althergebrachten mittelalterlichen kosmologischen Symbolen. Europa wird als Frau dargestellt, deren Ohr die Iberische Halbinsel und deren von einer seltsamen Meeresfaust ausgehöhlte Geschlechtsorgane die Stadtrepublik Venedig bildet. Opicino steigert die mittelalterliche Neigung, Dinge in andere hineinzuinterpretieren, ins Extrem. Das Mittelmeer wird zu einem häßlichen Teufel, der Atlantik zu einem reißenden Wolf. Statt seine Phantasie auf den ewigen, lichterfüllten Himmel zu lenken, scheint Opicino auf die kopulierenden Kontinente der Sünde hinunterzublicken, deren Umrisse er mit Fragmenten seines eigenen Körpers überlagert. Sein in Norditalien gelegener Geburtsort Pavia wird stets besonders hervorgehoben: im vorliegenden Fall durch eine winzige Kopie der gesamten Darstellung, mit dem einzigen Unterschied, daß Europa nun – wie in zahlreichen anderen Zeichnungen – männlichen Geschlechts ist. Statt diese Skizzen als Anzeichen von Schizophrenie zu deuten (wie in einer wissenschaftlichen Untersuchung geschehen), ist es sicherlich zweckdienlicher, sie in die Tradition mystischer Visionen einzuordnen. Die nicht gerade ruhmreichen Darstellungen liefern nämlich ein bedrückend detailliertes, wenn auch verzerrtes Bild einer natürlichen Welt, in welcher der Drache endgültig die Oberhand gewonnen hat.

Die schwindelerregenden Bilder Opicinos verdienen in die Geschichte der gotischen Kunst aufgenommen zu werden. Offenbaren sie doch, daß auf deren verworrenes Zeichen- und Symbolsystem kein Verlaß mehr ist, und bezeugen somit seinen Zusammenbruch. Opicinos Werke künden von den verzweifelten Bemühungen eines Individuums, dem mit gar zu vielen Symbolen überfrachteten Universum einen Sinn abzugewinnen. Wenn es auch hilfreich sein mag, sich zur Erforschung grundlegender Strukturen dieser faszinierenden Epoche in der abendländischen Kunstgeschichte der Perspektive gotischer Visionen zu bedienen, sollte darüber nicht in Vergessenheit geraten, daß Sinneswahrnehmungen im subjektiven Empfinden wurzeln. Opicinos Bilder führen uns deutlich vor Augen, daß Visionen letztlich persönlich gefärbt sind – ganz gleich, ob sie Gott oder der Natur gewidmet sind.

Kapitel 5

Die neue Sicht des Selbst

A us einem Rechnungsbuch Eleonores von Kastilien, der Ge-mahlin König Eduards I. von England, geht hervor, daß der Goldschmied William de Farendon im Februar 1289 insge-samt sechs Pfund Sterling, acht Shilling und vier Pence erhielt, weil er »Bildnisse von der kranken Königin« angefertigt hatte. Wurde die seit Wochen fieberkranke Eleonore von ersten Todesahnungen be-fallen? Traf sie Vorbereitungen für die monumentalen Bildnisse, die eines ihrer drei Grabmäler schmücken sollten? Oder verfolgte sie ei-ne ganz andere Absicht: Sollten diese Porträts mittels eines gehei-men Zaubers die Krankheit von ihr nehmen? Hinter gotischen Bild-nissen verbergen sich oft weitaus komplexere Sachverhalte, als die moderne Porträtkunst vermuten läßt.

Als Königin Eleonore im November desselben Jahres verschied, wurden ihre Eingeweide unweit ihres Sterbeortes in Lincoln be-stattet, ihr Herz dagegen in der Londoner Dominikanerkirche, der Blackfriars Church, und ihre Knochen in der Westminster Abbey, in der eine wunderhübsche, von einem anderen Goldschmied na-mens William Torel (tätig 1275-1300) angefertigte Bronzestatue Eleonores das mit einem Baldachin verzierte Grabmal schmückt (Abb. 119). Allerdings zeigt die Figur kein naturalistisches Porträt einer neunundvierzig Jahre alten und obendrein todkranken Frau. Ihr Gesicht besitzt derart idealisierte und ruhige Züge, daß es ohne weiteres eine Heiligenfigur am Portalgewände einer Kathedrale schmücken könnte. Die Bronzefigur zeigt ein prächtiges, heraldi-sches Porträt: Das Haupt der in ein festliches Gewand und einen kostbaren Mantel gehüllten Eleonore ruht auf zwei aufeinanderge-legten Kissen, in die das kastilische Wappen eingewoben ist. Händ-lern aus Lucca wurden eigens 350 Goldgulden abgekauft, um dieses herrliche – weniger einer Person denn einer *persona* (dem lateini-schen Wort für Maske) nachempfundene – Bildnis zu vergolden. Gotische Grabskulpturen boten besonders reichlich Gelegenheit zur Selbstdarstellung. Meistens wurde allerdings – wie im vorlie-genden Fall – weniger die persönliche als vielmehr die soziale Identität des Verstorbenen verewigt.

119 William Torel (tätig 1275-1300), Bildnis der Königin Eleonore von Kastilien, 1290 (Ausschnitt). Bronze. Westminster Abbey, London

Das Porträt als Statussymbol

Die Historiker streiten darüber, ob die mittelalterlichen Menschen eine ähnliche Vorstellung
vom Individuum besaßen wie die Menschen des
20. Jahrhunderts. Suchten mittelalterliche Menschen ihr Inneres zu ergründen, entdeckten sie
ihren eigenen Worten zufolge keine persönliche
Identität, sondern das Selbst, die sogenannte See-
le. Dabei trachtete man dieses innere Selbst
nicht etwa deswegen zu erforschen, weil es in irgendeiner Weise einzigartig gewesen wäre, sondern weil es die eigene Ähnlichkeit mit Gott
erkennen ließ. In der äußeren Welt definierte
sich die einzelne Person in den Augen der anderen über ihre gesellschaftliche Rolle oder ihren
Status. Erhielt ein gotischer Künstler den Auftrag, eine Person zu porträtieren, so gab er die öffentliche *persona* wieder. Drei Jahre nach Eleonores Tod hielt König Eduard I. bei König Philipp
IV. von Frankreich (1285-1314) um die Hand
von dessen Schwester Blanche an. Eduard entsandte Botschafter, die Blanche in Augenschein
nehmen und nicht nur ihr Gesicht, sondern ih-

120 Kathedrale von Reims.
Lebensgroße Kragsteinköpfe
am östlichen Turm des
südlichen Querhauses, ca.
1270

ren gesamten Körper von Kopf bis Fuß beurteilen sollten. Das Ergebnis war ein schriftlicher, in den Klischees der zeitgenössischen
Dichtung abgefaßter Bericht. König Eduard schickte keinen Maler,
um Blanche porträtieren zu lassen – zum einen existierte das Genre
des diplomatischen Porträts damals noch gar nicht, und zum
anderen war es wichtiger, den Körperbau der künftigen Braut an
den vorherrschenden Idealen zu messen, als deren je nach Laune
der Mode wechselnde Aufmachung festzuhalten. In einer Zeit, da
der winzigste sichtbare Makel oder die geringste körperliche Mißbil-
dung als Zeichen der Sünde galt, die entweder die betroffene Person
selbst oder ein Elternteil zur Zeit der Zeugung begangen hatte, war
die äußere Erscheinung von grundlegender Bedeutung. Das Zeitalter der Gotik zeichnete sich nicht nur durch tiefe Frömmigkeit,
sondern auch gleichzeitig durch große Oberflächlichkeit aus.

Wie bei den Naturdarstellungen finden sich auch die auf-
sehenerregendsten Beispiele gotischer Porträtkunst vor allem in den
Randbereichen. Dies gilt etwa für die Reihe von ursprünglich 162
lebensgroßen Masken an der Kathedrale von Reims. Hoch oben auf
den Türmen oder hinter Strebepfeilern verborgen, sind sie von unten kaum auszumachen. Während andere Skulpturen der Kathedrale auffallend grobflächig gearbeitet sind, um die große Entfer-
nung auszugleichen, aus der sie betrachtet werden, scheinen diese in
Stein gemeißelten Köpfe nur für Gottes Blick bestimmt zu sein.
Lediglich mit Hilfe eines Zoomobjektivs lassen sie sich aus nächster
Nähe und damit aus der Perspektive der sie anfertigenden Bildhauer
betrachten (Abb. 120). Die mit großer Sorgfalt angefertigte Reihe

physiognomischer Studien enthält mit ihren düsteren Mienen, furchterregenden Grimassen und zu höhnischem Grinsen verzogenen Fratzen einige der individuellsten Personendarstellungen aus dem 13. Jahrhundert. Und dennoch können diese Gesichter nicht mit historischen Personen in Verbindung gebracht werden. Einer These zufolge stellten die namenlosen Gesichter die steinerne Unterschrift der vielen Steinmetze dar. Ein anderer Deutungsversuch sieht darin die Schilderung verschiedener psychotischer und pathologischer Stadien aus der Sicht des mittelalterlichen Menschen. Häufig bediente man sich der Masken als Waffen oder Verkleidung, um Böses abzuwehren – eine Aufgabe, wie sie in der romanischen Kunst insbesondere skulptierten Köpfen an Kragsteinen zukam. Mit dem Unterschied, daß diese gotischen Masken keine Monstren, sondern eindeutig menschliche Wesen verkörpern.

Die rätselhaften Köpfe spiegeln auch eine überall in den Kathedralen zu findende Vision vom Aufbau der damaligen Gesellschaft wider, die nicht etwa den Mächtigen, sondern den Schwachen, den Angehörigen der unteren Bevölkerungsschichten, individuelle Züge verlieh. Das »niedere Volk«, wie es in Steuerlisten hieß, wurde klein, untersetzt und häßlich abgebildet. Wie die Dichter griffen auch die bildenden Künstler der Gotik bei der Charakterdarstellung auf soziale Stereotype zurück, wie beispielsweise große, elegante Höflinge oder abstoßend häßliche Bauern. Folglich könnten die Masken von Reims als bildlicher Ausdruck des mittelalterlichen Gesellschaftsaufbaus gedeutet werden.

Eines der raffiniertesten Zeichensysteme zum Ausdruck sozialer Unterschiede war die Heraldik. Wappen dienten der Betonung der persönlichen, dynastischen und familiären Identität. Das sechste Großsiegel König Eduards III. von England (1327-1377) von 1340 zeigt den Herrscher auf einem Thron, dessen aufwendiges Maßwerk an die Architektur einer Kirche oder eines Schreines erinnert. Wichtiger als der Thron sind jedoch die beiden, jeweils in kleinen illusionistischen Kapellen hängenden Wappenschilde (Abb. 121). In sämtlichen Königspalästen Europas pflegte man allenthalben Wappen zur Schau zu stellen – in Kapellen, auf der Kleidung und auf dem Geschirr. Zeitgenössische Chronisten und Prediger tadelten die Aristokratie häufig wegen ihres eitlen Hangs zu bloßer Prachtentfaltung. So klagte etwa Peter von Blois (1135-1212): »Ihre gestickten Schabracken und prächtigen Schilde lassen sie mit Schlacht- und Turnierszenen verzieren; sie ergötzen sich daran, sich Kämpfe auszumalen, an denen sie in Wirklichkeit nie teilnehmen, ja die sie noch nicht einmal anschauen würden.«

Eduards III. Feind, König Karl V. von Frankreich (1364-1380), war maßgeblich am Aufkommen moderner Porträtkunst beteiligt. Der äußerst

121 Sechstes Großsiegel König Eduards III. von England, März - Juni 1340. Wachs, 11,7 cm Durchmesser. British Library, London

Die nur in wenigen Fällen erhaltenen, metallenen Prägeformen zur Herstellung solch königlicher Siegel zählen zu den herausragendsten Beispielen von Metallbearbeitung in gotischer Zeit.

gelehrte König ließ viele klassische Werke erstmals in die Volkssprache übertragen. Diese – an den politischen Schriften von Aristoteles orientierten – Abhandlungen inspirierten ihn vermutlich dazu, dem Herrscher eine neue visuelle Rolle zuzuweisen. In dem weithin bekannten, damals Aristoteles zugeschriebenen *Geheimnis der Geheimnisse* erklärt der Philosoph dem jungen Alexander, die Majestät eines Königs beruhe darauf, daß dieser sich in kostbaren Gewändern seinem Volk präsentiere. Der König soll gesehen werden und die Blicke seiner Untertanen auf sich ziehen, er soll selbst alles sehen – wie Gott – und gleichzeitig von allen gesehen werden. Die Könige aus dem Hause Valois investierten gemäß ihrer Ideologie Unsummen in königliche Bildnisse, Skulpturen, Gemälde und Manuskripte. König Karl V. wurde unzählige Male abgebildet. Die Knollennase und das großflächige Gesicht lassen sofort erkennen, wen diese keineswegs mehr idealisierten Porträts zeigen. In der spätgotischen Kunst war die Gestalt des Herrschers präsenter denn je. Karl V. ließ eine Tür des alten Königspalastes im Louvre mit lebensgroßen Statuen seiner Gemahlin und seiner selbst versehen (Abb. 122). Der König ist betont schlicht gehalten, sein freundliches Gesicht weist ein leichtes Doppelkinn und eine gewaltige Nase auf. Unter den vielen Porträts Karls V. – sein Konterfei zierte ein heute im Louvre verwahrtes Leinwandgemälde im Gerichtshof (*parlement*) zu Narbonne sowie viele der Handschriften in der königlichen Bibliothek – ragt diese Statue durch ihre auffallend naturalistische Wiedergabe seiner korpulenten Figur heraus. Auch der Kleidung widmete der Bildhauer große Aufmerksamkeit. König Karl trägt ein weites Überkleid, das er Biographen zufolge der knappen, enganliegenden höfischen Mode vorzog – unter anderem seiner angeschlagenen Gesundheit wegen. Das königliche Paar tritt uns hier – den Schutzpatronen einer Kirche vergleichbar – als Schutzheilige eines profanen Raumes entgegen. Seit Ludwig dem Heiligen waren die französischen Könige bestrebt, ein pseudoreligiöses Selbstverständnis zu entwickeln, das nur in Bildern zur Schau gestellt werden konnte.

Auch Könige hatten Visionen, und das nach seinem Aufbewahrungsort Wilton House benannte Wilton Diptychon läßt sich hervorragend als persönliche Vision König Richards II. deuten (Abb. 123). Im linken Gemälde präsentieren die drei Heiligen Edmund, König von England und Märtyrer, Eduard der Bekenner sowie Johannes der Täufer den knienden König der azurblauen, von Engeln umgebenen Madonna zur Rechten. Die linke Szene spielt vor einem irdischen Wald, die rechte dagegen im himmlischen Paradies. Auch hier verwandte der Künstler – vermutlich ein Hofmaler – mehr Sorgfalt auf die Darstellung der persönlichen Embleme und königlichen Insignien als auf das eigentliche Porträt. Dieses brauchte gar nicht realistisch zu sein, da das Stifterbild für den König selbst bestimmt war. Der Monarch trägt jene weiße Hirschspange, die Richard 1390 zu seinem persönlichen Emblem auserwählte und die auch auf der Rückseite des Tafelbildes ist. In des Königs schillernden, mit Goldfäden durchwirkten Mantel sind sowohl diese Hirschspange als auch Ginsterzweige als französisches Emblem eingearbeitet. Die elf Engel tragen ebenfalls die weiße Hirschspange und werden somit zu königlichen Gefolgsleuten. Einer von ihnen hält das Banner des heiligen Georg. Das Bildnis wurde verschiedentlich interpretiert – als Richards Krönung im Jahr 1377, als sein Ersuchen um göttlichen Beistand für einen Kreuzzug Mitte der neunziger Jahre des 14. Jahrhunderts oder als Richards Zusammentreffen mit dem französischen König im Jahr 1396. Aber muß es sich überhaupt auf ein konkretes historisches Ereignis beziehen? Auf alle Fälle stellt es ein herausragendes Beispiel eines privaten Andachtsbildes dar, eines tragbaren Diptychons, das der König stets mit sich führen konnte. Jedesmal, wenn Richard II. davor niederkniete, konnte er sich im Geiste in der immerwährenden Gesellschaft Christi, der Jungfrau Maria und der Engel wähnen.

Die Liebe und das Spiegelbild

Auch die Minne beruhte, wie ihr religiöses Gegenstück, die fromme Mystik, in hohem Maße auf Visionen, die allerdings nicht Gott (*dominus*), sondern die auserwählte Dame (*domina*) zum Gegenstand hatten. Gotische Künstler fertigten Bilder aus dem Blickwinkel des Liebenden und orientierten sich vorrangig an den Bedürfnissen jener höfischen und luxuriös ausgestatteten Umgebung, in der verliebte Blicke ausgetauscht wurden. Cupido pflegte seinen Pfeil geradewegs ins Auge zu schießen, und viele Minnedichter – die Manessische Liederhandschrift, eine der prachtvollsten Sammlung deutscher Minnelyrik, eingeschlossen – stellten den Blick der Liebenden in den Mittelpunkt (Abb. 124). Konrad von Altstetten assoziiert die Erfüllung des Liebesverlangens mit dem Sommer und den Blüten des seinen Lenden entsprießenden Rosenbuschs – einer gelungenen Anspielung auf seine körperliche Erregung beim Anblick seiner Angebeteten und gleichzeitig eine Anlehnung an das gotische Bild von der Wurzel Jesse, die im Alten Testament aus derselben Körperregion des Propheten erwächst. Der Falke auf seinem Handschuh symbolisiert ebenfalls den Jagdtrieb, wobei jedoch unklar bleibt, wer Jäger und wer Gejagter ist. Derartige Minnebilder waren nicht für das Auge des Predigers oder Bauern, sondern für das des kultivierten Höflings bestimmt.

124 Die Dame umarmt den Dichter Konrad von Altstetten. Aus der *Manessischen Liederhandschrift*, um 1300. Buchmalerei auf Pergament, 25 x 35 cm. Universitätsbibliothek, Heidelberg

Dieselben bildhaften Anspielungen enthalten einige, im 14. Jahrhundert in Paris gefertigte Toilettenartikel zur weiblichen Schönheitspflege in ihren Elfenbeinschnitzereien. Manche zieren die Rückseite von Spiegeln. Anders als früher angenommen, handelt es sich nicht um verurteilende Darstellungen von Sexualität. Berücksichtigt man, für wen diese geistreich geschnitzten Gegenstände gefertigt wurden, wird unweigerlich offenkundig, daß sie vielmehr die Sinneslust verherrlichten oder einschlägige, kurzweilige Unterweisungen enthielten. Sämtliche Belustigungen – Falkenjagd, Treibjagd oder Schachspiel – wurden zu Allegorien des Liebesverlangens. Das wahre Ziel des Schachspiels bestand in der körperlichen Eroberung der Dame. In einer wundervollen Elfenbeinarbeit kommt dies in der Haltung eines jungen Mannes zum Ausdruck, dessen Beine triumphierend gekreuzt sind und dessen Arm die senkrechte, das Zeltdach stützende Stange (ihrerseits ein sexuelles Symbol) umklammert. Auch der Schoß der Dame wird durch tiefe, ungleichmäßig fallende, gotische Falten betont. Ein Bediensteter deutet mit einer vielsagenden Geste noch eigens darauf hin (Abb. 125). Hinter dem männlichen Spieler steht ein Bediensteter mit einem Falken, während der Diener der Dame einen Rosenkranz oder Ring als Zeichen ihrer Gunst und Bereitschaft hält. Während die etwa um dieselbe Zeit entstandene Frauengestalt der Kathedrale von Bourges Sünde und Tod verkörperte (s. Abb. 61), war die Dame dieses Bildnisses in ein ausgelassenes erotisches Spiel einbezogen.

Die aufwendigste und bekannteste zeitgenössische Mundartdichtung war der von Guillaume de Lorris († ca. 1235) begonnene und von Jean de Meung (ca. 1240-1305) vollendete *Roman de la Rose*. Der Garten der Liebe wird darin zum Schauplatz einer komplexen Allegorie des Liebesspiels, dessen Sinnesfreuden für den sehnsüchtigen Liebhaber, den *amant*, zweideutig werden. Beide Dichter standen offensichtlich unter dem Einfluß damaliger Abhandlungen über Optik, und der Rosenroman enthält einen ausgiebigen Exkurs über die Funktion und Bedeutung von Spiegeln. Der seit jeher für die Eitelkeit der *luxuria* stehende Spiegel wird im vorliegenden Fall vom Müßiggang (*l´oiseuse*) zu Rate gezogen. Am Anfang des Gedichtes wird in der von einem Pariser Buchmaler illustrierten Episode von Narziß und Echo die Assoziation zwischen eigenem Spiegelbild und Liebe geschildert (Abb. 126). Die Miniatur zeigt, wie die Nymphe Echo, deren Liebe zu Narziß unerwidert blieb, Gott er-

125 Spiegelrückseite mit Schach spielendem Liebespaar, ca. 1300. Elfenbein, 10,8 cm Durchmesser. Musée du Louvre, Paris

sucht, den hartherzigen Narziß eines Tages zu bestrafen und sich vor Liebe verzehren lassen. Als der junge Mann auf der Rückkehr von der Jagd von seinem Pferd steigt und sich über einen Brunnen beugt, um daraus zu trinken, »erblickte er im klaren Wasser deutlich sein Gesicht, seine Nase, seinen Mund« (*Roman de la Rose*, Vers 1483 f.). Er verliebt sich in sein eigenes Spiegelbild und stirbt vor Sehnsucht. Der Maler versuchte, das seltenverkehrte Spiegelbild in dem quadratischen Brunnen wiederzugeben und schuf eine den geschlossenen Kreislauf des Verlangens andeutende Symmetrie. Der springende Punkt dieser Erzählung besteht jedoch nicht darin, daß Narziß – im modernen Sinn des Begriffes Narzißmus – in sich selbst verliebt war, sondern daß ein Bildnis ihn derart faszinierte, daß er darüber alles andere vergaß. Sein Vergehen bestand in echtem Götzendienst, in Idolatrie, nicht in Eigenliebe – bezeichnenderweise wurde das Spiegelbild damals noch weniger mit dem Selbst als mit einer alternativen, illusorischen Realität in Verbindung gebracht.

126 Narziß und Echo. *Roman de la Rose*, ca. 1380. Buchmalerei auf Pergament, ganzseitig, 29,5 x 22,5 cm. Bodleian Library, Oxford

Eine Tapisserie mit dem Titel *La vue* (»Der optische Sinn«) aus der Reihe der Fünf-Sinne-Teppiche, die gegen Ende des 15. Jahrhunderts für ein Mitglied der Familie Le Viste in Lyon – vermutlich für Antoine Le Viste – gefertigt wurden, kündet von der zentralen Rolle des Blickes in der Liebe (Abb. 127), wobei der Spiegel bar jeglicher Assoziation mit Eitelkeit ist. Derartige Tapisserien, von denen heute nur noch ganz wenige erhalten sind, stellten damals in den nördlichen Ländern des spätmittelalterlichen Europa die begehrtesten und kostspieligsten gotischen Luxusartikel dar. Inventarlisten ist zu entnehmen, daß die 200 Wandteppiche König Karls V. seine Gemäldesammlung zahlenmäßig bei weitem übertrafen. Die kostbaren Tapisserien schützten vor lästiger Zugluft und gaben gleichzeitig eine prachtvolle Kulisse für höfische Festlichkeiten ab. Vor dem Hintergrund des dichten Blumenmusters der *millefleurs* waren Episoden aus der Bibel, Heldenepen und Ritterromane zu sehen. Meistens handelte es sich um ganze, einem bestimmten Thema gewidmete Teppichfolgen, die die nackten Wände eines Gemaches in einen exotischen Hintergrund verwandelten oder, wie bei der Tapisseriefolge aus dem Besitz der Le Viste (die auch *La Dame à la Licorne* – »Die Dame mit dem Einhorn« – genannt wird), einen geeigneten Raum für erotische Abenteuer schufen.

Das bildliche Liebeswerben, die komplizierte heraldische Symbolik und neckische Anspielungen, gipfelten in dieser Teppichserie, die – als Verlobungsgeschenk – die künftige Braut des Auftraggebers in die Geheimnisse der Liebeskunst einweihen sollte. Der Liebhaber – Le Viste – ist nie persönlich abgebildet, doch trägt jeder einzelne Teppich seine heraldischen Embleme, den Löwen und das Einhorn (letzeres war für seine Schnelligkeit berühmt, die im Mittelfranzösischen *vistesse* hieß, und wurde daher zum Emblem der Familie Le Viste). Den Bestiarien zufolge vermochte nur eine hübsche Dame das sagenumwobene Tier zu zähmen. In *La Vue* läßt die Dame das Einhorn, das ganz friedlich sein Haupt in ihren Schoß gelegt hat, sein eigenes Spiegelbild bewundern. Die raffinierte illusionistische Wiedergabe der kostbaren Gewänder der Dame innerhalb des Wandteppichs und die gelungene Anordnung natürlicher Formen (von Blättern und erotischen Symbolen wie Kaninchen) in einem flachen Medium künden von perfekter gotischer Selbstdarstellung, wie sie sich im selbstzufriedenen Lächeln des Einhorns spiegelt. Angefangen bei *La Vue* bis hin zu *Le Toucher*, in dem die Dame das Horn des Tieres – unter offensichtlicher Anspielung auf ihre eventuelle Vereinigung – liebevoll streichelt, künden die einzelnen Teppiche davon, wie wichtig die Verflechtung von dynastischer Macht mit individuellem Vergnügen ist. Der sechste Teppich zeigt die Dame unter einem Zeltdach aus blauem Damast, mit Tränen übersät. Oben ist das Motto *Mon seul desir* zu lesen. Während für uns heute das individuelle Selbst nur im Porträt zum Ausdruck kommt, konnte sich dieses für Viste und dessen Zeitgenossen ebensogut in einem Wappenschild oder in einem bärtigen Einhorn spiegeln.

Der Künstler als Betrachter

Es mag ein wenig abrupt erscheinen, von der Betrachtung höfischer Luxusartikel und Phantasiebilder einen Gedankensprung 250 Jahre zurück zu vollziehen: zu dem Mönch und Künstler Matthew Paris

127 *La Vue*. Tapisserie der Fünf Sinne, ca. 1500. Wolle und Seide, 3 x 3,3 m. Musée de Cluny, Paris

(† 1259), der zum Gegenstand seiner Liebe, zur Jungfrau Maria, aufschaut (Abb. 128). Aber es ist wichtig, am Schluß dieser Darstellung auf die Frage nach dem Künstler selbst und dessen Einbeziehung in das gotische Bildnis einzugehen. Matthew Paris kniet am unteren Seitenrand, unterhalb eines gerahmten Madonnenbildes am Auftakt zu seiner Chronik. Der Künstler ist noch halb der romanischen Auffassung verpflichtet, wonach optische Barrieren zwischen der Welt des Betrachters und des Betrachteten von allergrößter Bedeutung waren. Er befindet sich außerhalb des göttlichen Raumes und wagt noch nicht einmal seine Augen auf den Gegenstand seiner Vision zu richten. Da seine Gestalt nicht eindeutig als Selbstporträt des Künstlers zu erkennen ist, muß er sie mittels einer nebenstehenden Inschrift in gotischen Majuskeln der Nachwelt er-

128 Matthew Paris
(† 1259)
Selbstbildnis des zu Füßen
der Madonna mit Kind
knienden Künstlers. *Historia
Anglorum*, 1250-1259.
Buchmalerei auf Pergament,
ganzseitig, 35,8 x 25 cm.
British Library, London

läutern. Er hält keinen Pinsel in der Hand, nichts deutet darauf hin, daß er dieses Bild mit seinen lebhaft gestikulierenden Händen gemalt hat: In der klösterlichen Welt des Matthew Paris stand der Künstler immer noch im Dienste des göttlichen Willens. So hatte schon sein romanischer Vorläufer Theophilus einmal geäußert, der Künstler könne nichts ausführen, was nicht von Gott komme. Zur Zeit des Matthew Paris verlagerte sich die Kunstproduktion von den Klöstern zu den berufsmäßigen Künstlern in der Stadt und bei Hofe.

Ein etwa um dieselbe Zeit entstandenes Glasfenster der Kathedrale von Chartres zeigt einen berufsmäßigen Künstler, einen tief in Gedanken versunkenen Bildhauer (Abb. 129). Er schaut einem anderen Steinmetz bei seiner Arbeit zu. Diese Pose, hinter der sich sowohl bewußte Kontemplation als auch ein Hang zur Melancholie verbergen mag, macht den Künstler zum Betrachter. Ganz bewußt wird der Denkvorgang vom schöpferischen Akt getrennt – vermutlich unter anderem wegen der traditionellen Gleichsetzung von Künstler und Handwerker. Der Künstler ist immer der erste Betrachter eines Kunstwerkes, er verfolgt, wie es langsam aus einem gemeißelten Steinblock erwächst, an einer Wand oder auf einer Tafel entsteht. Der Urheber eines Kunstwerkes ist gleichzeitig Teil von dessen Rezeptionsgeschichte. Sein Blick ist oft schwer zu deuten, was unter anderem durch den Mythos vom zurückhaltenden, die Ideen anderer ausführenden, gotischen Künstler bedingt sein mag. Der Bildhauer war ursprünglich ein Steinmetz unter anderen und arbeitete in der Steinmetzhütte. Im Lauf des 13. Jahrhundert setzte jedoch eine gewisse Spezialisierung ein. Der Bildhauer hieß nun *imagier* oder Bildermacher, im Unterschied zum Maler. Die einzelnen Pariser Handwerkerzünfte wurden um 1268 im *Livre des métiers* kodifiziert. Jene Künstler, die elfenbeinerne Rosenkränze anfertigten, wurden von Kruzifixherstellern unterschieden. Einige Zünfte standen in besonderem Ansehen. So genoß beispielsweise die Zunft der Maler und Bildhauer außergewöhnliche Privilegien: Sie durften mehr Lehrlinge einstellen und auch bei Nacht arbeiten, da sie Luxusgegenstände für die Mächtigen der Welt anfertigten und überdies, wie es in den Statuten heißt, im Dienste »Unseres Herrn und seiner Heiligen« standen.

Arbeitsbedingungen und gesellschaftliches Ansehen der Künstler besserten sich zusehends. Zusehends verblaßte die Vorstellung von Kunst als einer Form körperlicher Arbeit, die ihrer Aufnahme unter die akademischen *artes liberales* entgegenstand. Denn immer mehr begabte Künstler verdingten sich bei Hofe und waren den Stadtoberhäuptern beim Bau der Kathedralen mit Rat und Tat behilflich. Besonders Architekten und Maurermeister gewannen im Lauf des Jahrhunderts an Prestige. So hielten die Baumeister der Kathedrale von Amiens ihre Namen in einer Inschrift fest, und Hugo Libergier († 1263), der Architekt der Kirche Saint-Nicaise zu Reims, ließ sich mit seinen Werkzeugen und einem Kirchenmodell in der Hand abbilden. Pierre de Montreuil († 1267), der als Architekt an Notre-Dame arbeitete, erhielt auf seinem Grabmal gar den Titel *doctor lathomorum* (»Doktor der Steine«) verliehen, als ob dort ein Universitätslehrer ruhe.

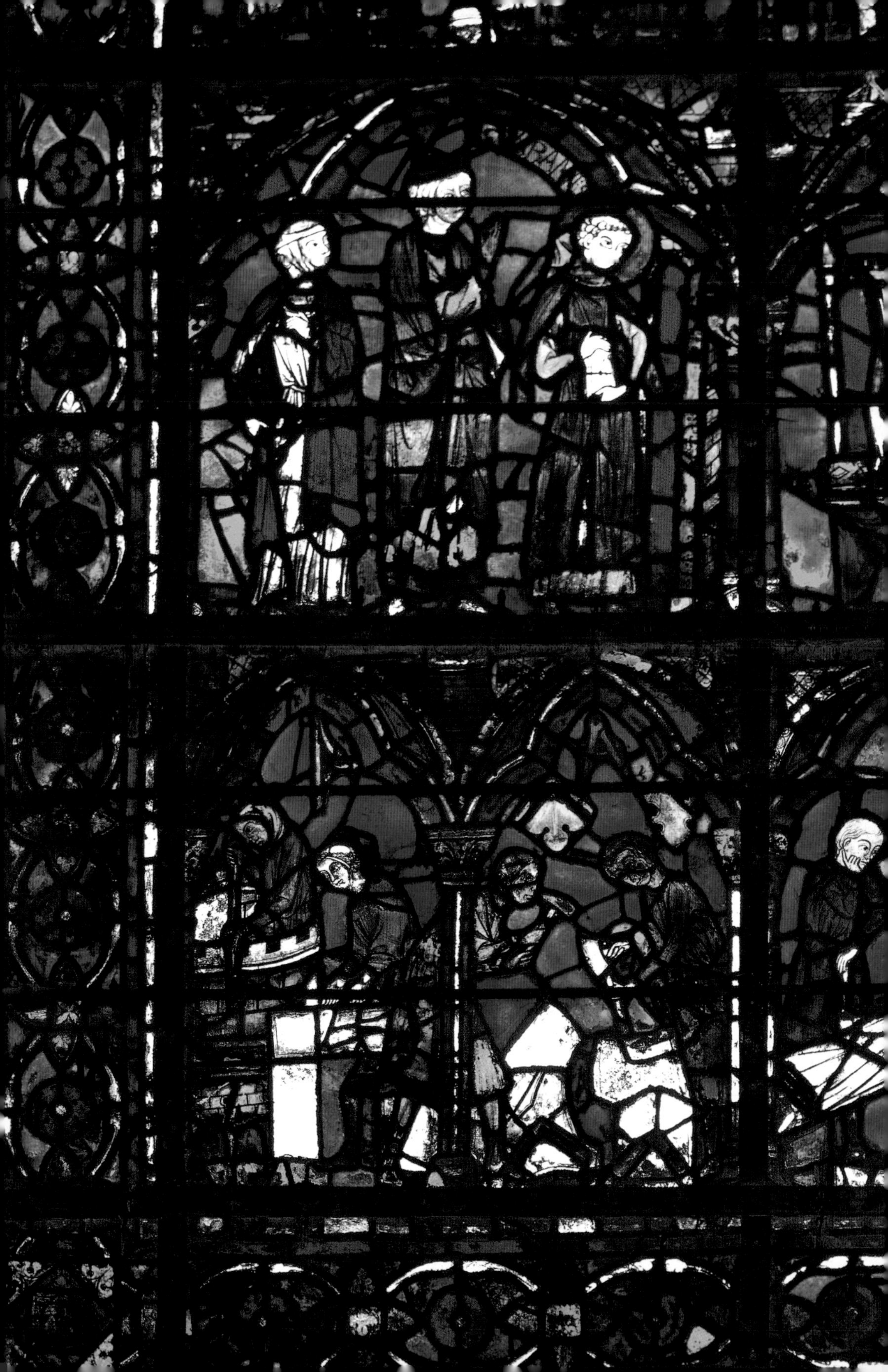

129 Kathedrale von Chartres.
Glasfenster mit Steinmetzen und
Bildhauern, ca. 1220

Die untersten vier Felder des
Fensters schildern Szenen aus
dem Leben des heiligen
Caraunus. Sie gehören zu den
sogenannten »Handwerker-
fenstern«, die jene verschiedenen
Berufsgruppen zeigen, die jeweils
für den Bau der Kathedrale
gespendet hatten. Links sieht
man vier Steinmetze Wände
hochziehen und Steine
zuschneiden, während die vier
kunstfertigeren Handwerker
rechts Säulenfiguren bearbeiten.

In Italien ging dieser Wandel noch rascher vor sich. Andrea da Pontedera genannt Pisano (ca. 1290-1348), Architekt und Bildhauer zugleich, schuf eine Serie von Reliefs mit Darstellungen der freien und mechanischen Künste für den Campanile des Florentiner Doms, den Giotto zwischen 1334 und 1337 in seiner Eigenschaft als Vorsteher der Dombauhütte entworfen hatte. Die rautenförmigen Reliefs an den vier Seiten des Campanile rühmen Erfindungen auf verschiedenen Gebieten. Neben den sieben mechanischen Künste finden sich Darstellungen der praktischen Künsten Malerei, Skulptur und Architektur (Abb. 130). Ein Maler beugt sich samt seinem kleinen Schemel nach vorne, um sein Bild besser betrachten zu können, während oberhalb, auf einem Mauervorsprung, ein dreiflügeliger Altar zu sehen ist. Die rechte, aus einem separaten Block gemeißelte Hälfte des rautenförmigen Reliefs zeigt ein kunstvoll mit gotischen Kriechblumen eingefaßtes Triptychon, dessen leere Flächen förmlich darauf zu warten scheinen, daß der Maler sie mit seinen Werken füllt.

In seinem um 1400 verfaßten *Trattato della pittura* beschreibt Cennino Cennini (* ca. 1370) dies als »angenehmste und schönste Tätigkeit in unserem Beruf..., eine Beschäftigung, die wirklich eines Edelmannes würdig ist, da man ihr getrost in kostbaren Samtgewändern nachgehen kann.« Der Maler auf dem Relief zeigt die Konzentration eines Schreibers, seine erhobene Hand erinnert an eine Feder, die über eine Seite gleitet. Sein Blick ist vollkommen in seine Tätigkeit vertieft. Im Gegensatz zu Chartres wird hier nicht mehr zwischen dem Gedanken und dessen Ausführung unterschieden; beide sind nun Bestandteil der Malerei, die zumindest in der Republik Florenz im Begriff stand, als intellektuelle Kunst anerkannt zu werden. Giovanni Boccaccio (1313-1375) schreibt in seinem *Decamerone*, Giotto sei »ein begnadeter Künstler, der die Natur, soweit der Himmel sie umschwingt, mit seinem Pinsel so künstlerisch darstellte, daß mancher sich täuschen ließ und Gemaltes für wirkliche Natur hielt« (*Decamerone*, VI, 5).

Die Aufwertung, welche die Stellung des Künstlers im Zeitalter der Gotik erfuhr, hat jedoch nichts mit der romantischen Vorstellung vom Ausdruck der Künstlerpersönlichkeit zu tun. Sie hatte vielmehr zur Folge, daß die Künstler, sobald sie eine gewisse Stellung erlangten, sich die Symbole und Etikette

130 Andrea Pisano
(ca. 1290-1348)
Künstler bei der Anfertigung eines Gemäldes, ca. 1340.
Relief von der Nordseite des zum Dom von Florenz gehörenden Kampanile.
Museo dell' Opera del Duomo, Florenz

der höfischen Lebensweise aneigneten. Die Person des Künstlers wurde Gegenstand der Darstellung – Künstler bezogen ihre eigene Gestalt als Urheber in die von ihnen geschaffenen Werke ein. Sie wurden zu einer neuen Art innerer Betrachter, neben den Stiftern oder Mazenen, blickten jedoch häufiger geradewegs aus dem Bild heraus, als ob sie zwischen dem Bildnis und der äußeren Realität stünden. Somit wurden sie – wie der visionäre heilige Johannes aus der Apokalypse – zu Mittlern zwischen Welt und Bild. Dies gilt beispielsweise für einen anderen Bildhauerarchitekten namens Anton Pilgram aus Wien (1455-1515), der sich gleich zweimal im Stephansdom verewigte: Unter der Kanzeltreppe öffnet er ein Fenster und blickt, seine Zirkel in der Hand, von seiner Arbeit heraus (Abb. 131). Die Darstellung am Fuß der großen Orgelempore betont seine Rolle als Architekt – der Orgelfuß ruht auf den Schultern seiner Bildnisbüste, die wie ein Atlant die Last der kunstvoll behauenen Steine und wie durch unsichtbare Zauberei das ganze Kreuzrippengewölbe der großartigen, im Style Flamboyant errichteten Orgelempore zu tragen vermag. Dies stellt eine schelmische Anspielung auf die frühen Säulenfiguren der gotischen Kathedralen dar (s. Abb. 21) und deutet darauf hin, daß das Bauwerk nicht nur von der menschlichen Erfindergabe gestützt wird, sondern ihr seine Entstehung verdankt.

131 Anton Pilgram
Selbstbildnis, 1510, Stein.
Kanzeltreppe im Stephansdom,
Wien

Während die Architekten sich in ihren Bauwerken verewigten, folgten die traditionell weniger angesehenen Maler nur zögernd deren Beispiel. Die Malergilde hatte den heiligen Lukas als Schutzpatron. Abbildungen, die den Heiligen beim Malen des ersten Madonnenbildes zeigen, enthalten derart viele alltägliche Hinweise auf handwerkliche Praktiken und künstlerische Techniken, daß wir uns immer wieder vergegenwärtigen müssen, daß es sich mitnichten um Selbstporträts der Künstler beim Werk handelt. Im vorliegenden Beispiel (Abb. 132) ist das göttliche Modell nicht einfach als ein anderes menschliches Wesen dargestellt, das Raum und Zeit des Malers teilt: Die Madonna befindet sich in einem anderen Raum, sie ist vom Maler-Betrachter getrennt, wie es der Tradition entspricht. Lukas sieht sie durch einen in Form eines Diptychons gearbeiteten Rahmen und überdies im spitzen Winkel. Fast könnte man meinen, es handle sich um ein Wandgemälde. Doch ist es eine reale Erscheinung, die Lukas eifrig auf seine Staffelei bannt. Mehr noch: Lukas' Gemälde stimmt bis ins Detail mit der Vorlage überein, wenn man davon absieht, daß – eingedenk des Vorbilds vieler Tafelgemälde aus dem frühen 15. Jahrhundert – die Madonna gegen einen goldenen Hintergrund abgesetzt wurde. Ironischerweise führten die berühmten flandrischen Meister der »Nordischen Renaissance«, wie Jan van Eyck (ca. 1390-1441), den

132 Meister des Augustineraltars

Der heilige Lukas malt das erste Madonnenbild, 1487. Tempera auf Holz, 1,36 m hoch. Germanisches Nationalmuseum, Nürnberg

Obwohl diese Darstellung häufig als Beleg für den Einfluß der sogenannten »Nördlichen Renaissance« herangezogen wird, zeigt es gleichzeitig, wie die neu aufgekommenen räumlichen und bildlichen Darstellungsweisen in die herkömmliche Arbeitsweise und die uralten, traditionellen künstlerischen Konventionen der Gotik einbezogen wurden.

Brauch ein, die Madonna in einer häuslichen Umgebung und nicht mehr vor einem solch abstrakten Hintergrund abzubilden. Das vorliegende Bild im Bild ist in dieser Hinsicht eindeutig der gotischen Tradition verhaftet.

Wie bereits erwähnt, stellte gotische Kunst die gezielte Kombination verschiedener Medien dar, in der ganze Mannschaften von Steinmetzen, Bildhauern und Malern oft gemeinsam regelrechte Environments schufen. Im Lauf des 15. Jahrhunderts gewann ein spezielles Medium immer mehr Einfluß, das sich nicht nur auf das Kunstverständnis der nachfolgenden Generationen auswirkte, sondern auch auf die Art und Weise, in der die Bilder fortan die visuellen Erlebnisse der Menschen festhielten: die Tafelmalerei. Selbstverständlich wurden bereits früher Tafelbilder angefertigt – bekanntlich entstanden im 14. Jahrhundert eine ganze Reihe von Tafelgemälden als neuartige Andachtsbilder. Die verstärkte Hinwendung, die das Medium der Tafelmalerei in Italien und nördlichen Städten wie Tournai und Brügge erfuhr, wurde deswegen wichtig, weil sie – ebenso wie die Erfindung des Buchdrucks, die sich im letzten Viertel des 15. Jahrhunderts von Deutschland aus in allen Teilen Europas verbreitete – den Triumph des Zweidimensionalen über das Dreidimensionale bedeutete. Die gotische, einem plastischen, dreidimensionalen Raumverständnis huldigende Kunst wich im Zeitalter der Renaissance dem Diktat einer zweidimensionalen Vortäuschung dreidimensionaler Räume. Diese Erkenntnis scheint die bisher gültige Lehrmeinung auf den Kopf zu stellen. Pflegt man doch üblicherweise davon auszugehen, daß die vermeintlich flache, unnatürliche und lineare gotische Kunst von der dreidimensionalen, naturalistischen und räumlichen Darstellungsweise der Renaissancemalerei abgelöst wurde. Ich hoffe jedoch bewiesen zu haben, daß – ebenso, wie die mittelalterlichen Menschen genau wußten, daß die Erde nicht die Gestalt einer Scheibe besitzt – kein Grund zu der Annahme besteht, daß sie die zeitgenössischen Bildnisse als flach empfanden. Abgesehen davon waren die reich verzierten, dreidimensionalen Objekte, in welche die damaligen Menschen sich psychologisch hineinzufinden vermochten, alles andere als flach. Die gotische Tradition, die sich in den meisten Teilen Europas bis weit ins 15. Jahrhundert hinein behaupten konnte, sollte daher nicht als rückständige Darstellungsweise gelten, die später durch eine bessere, perspektivische Sichtweise ersetzt wurde, sondern vielmehr als ein spezifisches Verfahren, um die Welt zu erfassen und zu verstehen, das mancherorts allmählich von einem anderen abgelöst wurde.

Sowohl im Verhältnis zwischen Betrachter und Bild als auch in jenem zwischen Künstler und Produkt trat im späten 15. Jahrhundert ein Wandel ein. Eine neue, autonome Vision hielt – zunächst in Italien, in den Abhandlungen von Leone Battista Alberti (1404-1472) und anschließend in den großartigen Gemälden der flämischen Meister – Einzug, wonach das Gemälde eine Illusion darstellte, einen Blick durch ein Fenster, bei dem der Standpunkt des Betrachters mit dem des Künstlers identisch sei. Dies ist die stark

vereinfachte Beschreibung eines wesentlich vielschichtigeren sozialen und politischen Wandels der Kunst und ihrer unterschiedlichen Aufgaben. Es wurde schon vielfach beschrieben, wie die Einführung der perspektivischen Darstellung in mancher Hinsicht mehr Freiheit, in anderer jedoch eine regelrechte Tyrannei nach sich zog – der Blick des Betrachters ist nun auf einen einzigen Ausgangspunkt reduziert und somit innerhalb des Systems gefangen. Ein weiterer Verlust ist zu beklagen, der mit der neuen, illusionistischen Raumwirkung einhergeht. Dieser Verlust kommt am besten im Stundenbuch der Maria von Burgund zum Ausdruck (Abb. 133). Wie so viele der in diesem Buch untersuchten gotischen Abbildungen verkörpert auch diese Miniatur eine Vision, die die Grenzen von Raum und Zeit überschreitet. Die mit Kreuzblumen und Baldachinen verzierte gotische Architektur lenkt unseren Blick auf eine packende Schilderung der Annagelung Christi ans Kreuz. Doch kann unser Auge kaum zu der in der Ferne spielenden Szene weiterwandern, weil uns eine der heiligen Frauengestalten im Vordergrund wunderbar naturalistisch entgegenblickt und offensichtlich überrascht ist, daß wir von unserem Fenster aus ständig auf die entfernte Szene starren. Unsere Augen bleiben an der im Vordergrund verstreuten persönlichen Habe der Besitzerin dieses Stundenbuches hängen. Das Buch gehörte Maria von Burgund, deren Porträt weiter vorne im Manuskript zu sehen ist und durch seine für ein gotisches Bildnis auffallend naturalistische Wiedergabe besticht. Doch nun, in der vorliegenden Miniatur, hat sich Maria von Burgund aus dem Bild fortbegeben und nur die vom Maler geschaffene Bildoberfläche zurückgelassen.

Diese spektakuläre gegenseitige Durchdringung von Bildnis und Betrachter geht in dem Augenblick verloren, da sich letzterer aus dem Geschehen zurückzuziehen beginnt, das nun kein „Gesehenes„ mehr darstellt, sondern eine Szene, von der er überdies durch ein Fenster getrennt wird. Ebenso wie der Maler sich gefühlsmäßig nicht mehr so stark in seine Arbeit einbringt, wird der Betrachter nicht länger in das dargestellte Geschehen einbezogen. Maria von Burgund ist aus dem Bild verschwunden, die Blätter ihres aufgeschlagenen Gebetsbuches bewegen sich in der leichten Brise, die von den Hügeln Golgathas hereinweht. Dieses Bild eröffnet eine Welt des Gemäldes als Illusion und läutet damit ein halbes Jahrtausend bildlicher Darstellung ein, beschließt aber gleichzeitig die Möglichkeit des Gemäldes als Darstellung einer Vision. Bilder bleiben fortan auf die Wiedergabe des äußeren Scheins beschränkt – die mehrfachen Perspektiven, Projektionen und Phantasien, die sich den Herstellern und Betrachtern gotischer Bilder eröffneten, werden auf die getreue Nachbildung der Wirklichkeit reduziert. Kunst wird zur Oberfläche des Spiegels, in dem wir fortan keinen Platz mehr finden. Erst das Aufkommen von Computerbildern und der virtuellen Realität bietet Bildern erneut die Möglichkeit, eine den glorreichen Visionen gotischer Kunst vergleichbare interaktive Dynamik zu entwickeln.

133 Nicolas Spiering (tätig 1455-1499)
Annagelung Christi ans Kreuz. Stundenbuch der Maria von Burgund, ca. 1480. Buchmalerei auf Pergament, 22,5 x 16,3 cm. Österreichische Nationalbibliothek, Wien

	Historische und kulturelle Ereignisse	Kunst und Architektur
1150–1200	1170 Mord an Erzbischof Thomas Becket in der Kathedrale in Canterbury 1173 Heiligsprechung von Thomas Becket 1180 Machtübernahme von Philip II. August als König von Frankreich 1182 Geburt des heiligen Franz von Assisi Eroberung Jerusalems durch Saladdin	1137-40 Saint-Denis, Westfront und Chor ca. 1150 Kathedrale von Chartres, Westportale 1175 Kathedrale von Canterbury wird von William von Sens wieder aufgebaut 1180-1212 Kathedrale von Soissons
1200–1250	ca. 1200 Gründung der Universität von Paris 1202-04 4. Kreuzzug 1204 Eroberung und Plünderung von Konstantinopel durch die Kreuzfahrer, Gründung des Lateinischen Kaiserreichs von Konstantinopel 1209 Gründung des Franziskanerordens durch den heiligen Franz von Assisi ca. 1214 Geburt von Roger Bacon, Franziskanermönch und Wissenschaftler in England 1215 König John von England wird zur Unterzeichnung der Magna Carta gezwungen (Kodifizierung von individuellen, sozialen und wirtschaftlichen Reformen) 1220 Wahl Friedrichs II. zum Heiligen Römischen Kaiser. Beziehungen zum Papst verschlechtern sich in seiner Regierungszeit. ca. 1220 Gründung der Universität von Oxford 1223 Tod von Philip II. August 1225 Geburt des heiligen Thomas von Aquin, berühmter katholischer Theologe der gotischen Epoche 1225-35 *Rosenroman* (Teil I) verfaßt von Guillaume de Lorris († ca. 1235) 1226 Tod des heiligen Franz von Assisi	1211-41 Kathedrale von Reims, Chor und Querschiff ca. 1220 Chartres, Die Wunder der Madonnen Fenster Kathedrale von Canterbury, Trinity-Kapelle 1220-30 Kathedrale von Amiens, Westfront und Hauptschiff ca. 1220-30 *Bible Moralisée* 1228-53 San Francesco, Assisi ca. 1230 Reims, Jungfrau Maria aus der Verkündigungsszene ca. 1230-33 Reims, Heimsuchungsgruppe ca. 1230-40 William de Brailes *Jüngstes Gericht* 1230-50 Kathedrale von Wells, Skulptur an der Westfront ca. 1235 Kathedrale von Amiens, Triforium und Lichtgaden 1235-40 Der Bamberger Reiter 1241-48 Sainte-Chapelle, Paris ca. 1245-55 Reims, Engel der Verkündigung ca. 1250 Rathaus, Lübeck
1250–1300	1250 Tod von Friedrich II. ca. 1268 Das *Livre des metiers* (Regelung der städtischen Zünfte) wird in Paris durch Etienne Boileau veröffentlicht. 1271-95 Marco Polo reist nach China 1274 Tod des heiligen Thomas von Aquin 1275-80 *Rosenroman* (Teil II) verfaßt von Jean de Meung oder Clopinel (ca. 1240 - ca. 1305) ca. 1292 Tod von Roger Bacon	ca. 1260 Saint-Louis Psalter ca. 1267 Geburt von Giotto di Bondone 1278 Duccio di Buoninsegna in Siena 1285 Duccio: *Rucellai Madonna* 1288-1309 Palazzo Publicco, Siena 1290-93 William de Torel: Grab von Eleanor de Castile 1294 Baubeginn von Santa Croce, Florenz
1300–1315	ca.1300 Geburt der heiligen Birgitta von Schweden 1303 Papst Bonifazius VIII. wird verhaftet 1304 Geburt von Petrarch 1307 Dante beginnt die *Göttliche Komödie* 1309 Papst wird gezwungen, Rom zu verlassen, das in der Hand der Heiligen Römischen Kaiser ist. Es entsteht ein zweiter Papstsitz im südfranzösischen Avignon.	1305-10 Giotto di Bondone: Fresken in der Arena Kapelle, Padua 1306-45 Pietro Lorenzetti in Siena tätig 1308-11 Duccio di Buoninsegna: *Maesta*

Historische und kulturelle Ereignisse	Kunst und Architektur	
1314 Erste öffentliche Uhr in Italien 1328 Tod Karls IV. von Frankreich, Eduard III. von England erhebt Anspruch auf den Thron von Frankreich und führt den Hundertjährigen Krieg herbei (1339-1453) 1348-49 Beulenpest-Epidemie in Europa (der Schwarze Tod) 1349 Tod des William von Ockham	1317 Life of St. Denis (MS) 1330 Baubeginn der Abteikirche von St. Peter, Gloucester 1330-34 Taddeo Gaddi: Baroncelli-Kapelle, Santa Croce, Florenz 1334-4 Papstpalast, Avignon 1338-40 Ambrogio Lorenzetti arbeitet an den Fresken im Palazzo Publicco, Siena vor 1339 Psalter of Robert de Lisle 1343 Wandmalerien im *Chambre du Cerf*, Avignon 1346-52 Tommaso da Modena: Kapitelhalle von S. Niccolo, Treviso	1315-1350
1356 Engländer besiegen die Franzosen in der Schlacht von Poitiers 1364 Machtübernahme von Karl V. als König von Frankreich 1373 Tod der heiligen Birgitta von Schweden 1374 Tod von Petrarch 1377 Papst kehrt nach Rom zurück 1377 Tod Eduards III., Machtübernahme von Richard II., König von England 1380 Tod Karls V., König von Frankreich 1399 Tod Richards II., König von England	ca. 1365 Meister Theodorich: Mauern in der Kreuzkapelle, Schloß Karlstein ca. 1373 Entwürfe für die Apocalypse-Wandteppiche ausgeführt von Jean de Bondol, Maler des Königs, für Ludwig I. von Anjou 1385 Claus Sluter tritt in die Dienste der Grafen von Burgund 1386 Geburt von Donatello (Donato di Nicolo) 1399 Baubeginn des Turms der Kathedrale von Straßburg	1350-1400
1400 Tod von Geoffrey Chaucer, Autor der *Canterbury Tales* 1403 Christine de Pisan schreibt das *Livre de la Mutation de Fortune* 1415 Der religiöse Reformer Jan Hus wird als Ketzer auf dem Scheiterhaufen in Konstanz verbrannt. Engländer besiegen die Franzosen in der Schlacht von Agincourt 1416 Tod des Grafen Jean de Berry 1417 Großes Abendländisches Schisma endet mit der Wahl Martins V. als Papst 1431 Jeanne d´ Arc wird in Frankreich von englischen Streitkräften auf dem Scheiterhaufen verbrannt. 1432 Die Ratsversammlung von Basel debattiert über eine Kirchenreform. 1435 Leon Battista Alberti schreibt *Della Pittura* 1446-50 Erfindung des Buchdrucks durch Gutenberg	ca. 1400 *Revelations of St. Bridget of Sweden* ca. 1402 Grab des Kardinals de la Grange ca. 1410 *Salle de Fortune* Manuskript (Paris) Mittelrheinischer Meister *Jungfrau im Garten* ca. 1415 Stundenbuch *Très Riches Heures* des Grafen de Berry von den Brüdern Limburg ca. 1420 Meister Franckes *Schmerzensmann* 1434 Jan van Eyck malt *Die Arnolfini-Hochzeit* ca. 1443 Arbeitsbeginn am Haus von Jacques Coeur, Brügge 1445 Arbeitsbeginn am Chor von Sankt-Lorenz, Nürnberg	1400-1450
1451 Sturz von Jacques Coeur 1453 Eroberung von Konstantinopel durch die Türken	1471 Geburt von Albrecht Dürer 1489 Benedict Ried beginnt mit der Arbeit an der Prager Burg	1450-1500

Bibliographie

Die nachfolgende Liste enthält einige grundlegende Werke zur gotischen Kunst und Kultur:

ALLGEMEIN

Age of Chivalry: Art in Plantagenet England, 1200–1400 (Aussl.-Kat., London. Royal Academy, 1987–88)

AVRIL, F. X., BARRAL I. ALTET, UND D. GABORIT CHOPIN, Les Royaummes d'Occident (Paris: Gallimard, 1983)

HENDERSON, G., Gothic Style and Civilization (Harmondsworth: Penguin, 1967)

KIMPEL, D., UND SUCKALE, R., Die gotische Architektur in Frankreich 1130–1270 (München: Beck, 2. veränd. u. überarb. Aufl. 1995); L'Architecture gothique en France 1130–1270 (Paris: Flamarion, 1990)

Die Parler und der Schöne Stil 1350–1400: europäische Kunst unter den Luxemburgern (Ausst.-Kat.; Köln, 1978)

RECHT, R., CHATELET, A., Automne et Renouveau, 1380–1500 (Paris: Gallimard, 1988)

SAUERLÄNDER, W., Le Siècle des cathédrales (Paris: Gallimard, 1989); Das Jahrhundert der großen Kathedralen 1140-1260 (München: Beck, 1990)

WHITE, J., Art and Architecture in Italy: 1250–1400 (3. Aufl.; Harmondsworth: Penguin, 1992)

WILLIAMSON, P., Gothic Sculpture 1140-1300 (London und New Haven: Yale University Press, 1995)

EINLEITUNG

CAVINESS, M., »Images of Divine Order and the Third Mode of Seeing«, Gesta, 22 (1983)

FRANKL, P., The Gothic, Literary Sources and Interpretation during Eight Centuries (Princeton: Princeton University Press, 1960)

LINDBERG, D.C., Theories of Vision from Al-Kindi to Kepler (Chicago: University of Chicago Press, 1976)

MÂLE, E., L'Art religieux du XIIIe siècle en France (Paris: 1898 mit zahlreichen Nachdrucken); Religious Art in France: The Thirteenth Century (Princeton: Princeton University Press, 1983)

VIOLLET-LE-DUC., E., Dictionnaire Raisonné de l'architecture française du XIe au XVIe siècle (10 Bde.; Paris, 1859–68)

KAPITEL 1

ABOU-EL-HAJ, »The urban setting for late medieval church building: Reims and its cathedral between 1210 and 1240«, Art History, XI (1988)

ERLANDE BRANDENBURG, J., La Cathédrale (Paris: Fayard, 1990); The Cathedral: the social and architectural dynamics of construction (Cambridge: Cambridge University Press, 1994)

FRUGONI, C., A Distant City: Images of Urban Experience in the Medieval World (Princeton: Princeton University Press, 1991)

HILLS, P., The Light of Early Italian Painting (New Haven und London: Yale University Press, 1987)

WILSON, C., The Gothic Cathedral. The Architecture of the Great Church 1130–1530 (London: Thames and Hudson, 1990)

KAPITEL 2

DOHRN-VAN ROSUM, Die Geschichte der Stunde: Uhren und moderne Zeitordnungen (München: Hanser Verlag, 1992); History of the Hour: Clocks and Modern Temporal Orders (Chicago: University of Chicago Press, 1996)

FASSLER, M., »Liturgy and Sacred History in the Twelfth-Century Tympana at Chartres«, Art Bulletin, LXXV (1993)

GUREVICH, A.J., Categories of Medieval Culture (London: Routledge, 1985)

PANOFSKY, E., Abbot Suger on the Abbey Church of St. Denis and its Art Treasures (2. Aufl.; Princeton: Princeton University Press, 1979).

BASCHET, J., Les Justices de l'au-dela. Les répresentations de l'Enfer en France et en Italie, XIIe–XVe siècle (Rom: 1993)

KAPITEL 3

BELTING, H., Bild und Kult. Eine Geschichte des Bildes vor dem Zeitalter der Kunst (München: Beck, ²1991); Likeness and Presence: A History of the Image before the Era of Art (Chicago: University of Chicago Press, 1994)

GAUTHIER, M-T., Les Routes de la Foi: Reliques et reliquaires de Jérusalem à Compostelle (Paris: Bibliothèque des Arts, 1983)

GUTMAN, J., *Hebrew Manuscript Painting* (New York: 1978)

HAMBURGER, J., »The Visual and the Visionary: The Image in Late Medieval Monastic Devotions«, Viator, 20 (1989)

VAN OS, H., The Art of Devotion in the Late Middle Ages in Europe 1300–1500 (London und Amsterdam: 1994)

KAPITEL 4

BEHLING, L., Die Pflanzenwelt der mittelalterlichen Kathedralen (Köln: Graz, 1964)

CAMILLE, M., Image on the Edge: The Margins of Medieval Art (London und Cambridge, Mass: Reaktion Books, 1992)

MURDOCH, J., Album of Science: Antiquity and the Middle Ages (New York: Scribners, 1984)

NORDENFALK, C., »Les Cinq Sens dans l'art du Moyen Age«, Revue de l'art, 34 (1976)

PEARSALL, D., UND SALTER, E., Landscapes and Seasons of the Medieval World (London: 1973)

POUCHELLE, M.C., Corps et chirurgie à l'apogée du Moyen-Age (Paris: 1983); The Body and Surgery in the Middle Ages (London: 1990)

SCHELLER, R.W., Exemplum: Model-book drawings and the

practise of artistic transmission in the Middle Ages, ca.900-ca.1470 (Amsterdam: Amsterdam University Press, 1995)

WHITE, L., JR., »Natural Science and Naturalistic Art in the Middle Ages«, American Historical Review 52 (1946)

KAPITEL 6

ALEXANDER, J.J.G., Medieval Illuminators and Their Methods of Work (London und New Haven: Yale University Press, 1992)

BARRAL Y ALTET (Hg.), Artistes, artisans et production artistique au Moyen-Age (3 Bde.; Paris: Picard, 1986-90)

CAMILLE, M., »The Body and the Self: Unwriting Late Medieval Bodies«, in Framing Medieval Bodies (Hg. S. Kay und M. Rubin; Manchester: Manchester University Press, 1994)

CORNELIUS CLAUSSEN, P. »Nachrichten von den Antipoden oder der mittelalterliche Künstler über sich selbst«, in Der Künstler über sich in seinem Werk (Hamburg: Acta humaniora, 1992)

MARTINDALE, The Rise of the Artist in the Middle Ages and Early Renaissance (New York: McGraw Hill, 1972)

Abbildungsnachweis

Wenn nicht anders angegeben, haben die Museen ihr eigenes Bildmaterial zur Verfügung gestellt. Ergänzende und Copyright-Nachweise werden im folgenden aufgeführt. Die linken Nummern beziehen sich auf die Bildnummern im Text.

Umschlagvorderseite: Florian Monheim, Düsseldorf
Seite 9 Detail aus 9
1 Bibliothèque Nationale, Paris (MS lat. 10525 fol. 85v)
4 © Angelo Hornak, London
5 The Pierpont Morgan Library/Art Resource, New York
6 © Angelo Hornak, London
7 Scala, Florenz
8 The Pierpont Morgan Library/Art Resource, New York
9 Mit Genehmigung der British Library, London (Additional MS 10292, fol. 7v)
11 Bodleian Library, Oxford (MS Ashmole 1522, fol. 153v)
13 Scala, Florenz
14 © Angelo Hornak, London
Seite 27 Detail aus 18
15 Zeichnung Christopher Wilson aus The Gothic Cathedral von Christopher Wilson, veröff. bei Thames & Hudson, London, 1990
16 Master and Fellows of Trinity College Cambridge (MS R.16.2. fol. 25v)
17-19 © Angelo Hornak, London
21 James Austin, Cambridge
22 © Angelo Hornak, London
24 Musées de la Ville de Strasbourg
25 © Domkapitel Aachen (Foto Ann Münchow)
26-27 © Angelo Hornak, London
28 Mit Genehmigung der British Library, London (Egerton MS 2781, fol. 1v)
29 © Angelo Hornak, London
30 Caisse Nationale des Monuments Historiques et des Sites, Paris/SPADEM/DACS, London © 1996
31 Scala, Florenz
32 AKG London, Foto Eric Lessing
33 Studio Fotografico Quattrone, Florenz
34 Florian Monheim, Düsseldorf
36 Michael Jeiter, Morschenich
37 Stuart Michaels, Chicago
38 Mit Genehmigung der British Library, London (Additional 28681 fol. 9)
39 CADW: Welsh Historic Monuments, Cardiff. Crown copyright
40 Paul M.R. Maeyaert
41 Zefa, Düsseldorf
42 Bibliothèque Nationale, Paris (MS fr. 2091 fol. 97r)
43 Pavel Stecha,Černoşice, Tschechische Republik
44 Scala, Florenz
46 links: Michael Camille
46 unten: Paul M.R. Maeyaert, Mont de l'Enclus-Orroir, Belgien
47 Herzog-August-Bibliothek, Wolfenbüttel (MS 1.3.5.1. Aug. 2 fol. 146r)
48 Giraudon, Paris
49-53 © Angelo Hornak, London
Seite 71 Detail aus 66
54 Foto Ritter, Wien
55 Östereichische Nationalbibliothek, Wien (Cod. 2554 fol. 1 recto and verso)
56-57 © Angelo Hornak, London
58 Scala, Florenz
59 Bibliothèque Nationale, Paris (MS fr. 2813 fol. 473v)
60 Bayerische Staatsbibliothek München (Cod. gall. 11 fol. 53)
61 Angelo Hornak, London
62 Fitzwilliam Museum, Cambridge (MS 330 fol. 3)
63 Fernando António Rodrigues Cruz, Amadora Portugal
64 Scala, Florenz
65 Mit Genehmigung der British Library, London (Arundel 83, fol. 126v)
66 Angelo Hornak, London
67 Bibliothèque Nationale, Paris (MS lat. 10483, fol. 6v)
68 Copyright British Museum (1853, 11-4-1, 326)
69 Bibliothèque Royale Albert 1er, Brüssel (B.R. ms IV III fol. 13v)
Seite 103 Detail aus 86
71 RMN, Paris
72 © Domkapitel Aachen (Foto Ann Münchow)

Register

Kursive Ziffern beziehen sich auf die Illustrationen:

Aachen, Kathedrale: Dreiturmreliqiuar 38, 40, 104, 105
Ablässe 34, 120, 120
Adam (von Notre Dame) 153, 155
Africa flüstert in Europas Ohr (Opicino) 160, 161
Albertus Magnus 19, 137, 138, 140
Alberti, Leone Battista 180
Alfonso IV., König von Portugal 91
Alfonso X, König von Kastilien und Leon 115
Alphabet, illuminiert (Grassi) 149, 150
Altäre und Altarbilder 25, 25, 51, 52, 53, 76, 77, 109, 122, 123-24, 128, 128, 159, 159

Altstetten, Konrad von 167, 170
Amiens, Kathedrale 10, 10, 12, 12, 36, 105, 158, 175
   Statue 37, 82, 95, 95, 97, 135-36, 136
Anatomies von Guido de Vigevano (Buchmalerei) 154, 155
Aosta, Kathedrale: Miserikordie 151, 151
Apokalypse (Offenbarung) 15, 16-17
   Apokalypse-Handschriften 15, 17, 28-29, 29
   Apokalypse-Wandteppich 17, 17
Apostel Johannes 15, 15, 17, 17, 19, 28
Aquin, Thomas von 19, 83, 137, 138
   Der Triumph des heiligen Thomas von Aquin (Kreis um Martini und Memmi) 25, 25

Summa Theologica 25
Architekten, Status der 175
architektonische Zeichnungen, Gebrauch von 36-37
Arena-Kapelle, Padua: Fresken (Giotto) 46, 48, 48, 49, 54
Aristoteles 21, 22, 45, 73, 166
   Physik (Buchmalerei) 138, 138
Aristoteles und Phyllis (Stickerei) 125, 125
arma Christi 118, 118-119
Assisi: San Francesco (Fresko) 106, 107
Astrolabium (Blakenei) 98, 98
Auge, Schaubild 22, 22-23; s. Vision, mittelalterliche Theorien über
Augengläser, Erfindung der 147
Augustinus 83
Augustineraltar, Meister des: Der

heilige Lukas malt das erste
Madonnenbild 179, *180*
Avicenna: Schaubild des
menschlichen Gehirns 23, *23*
Avignon 14, 160
Chambre du Cerf, Papstpalast
|4|, *|4|*
Grab von Kardinal de la Grange
158, *158*

Bacon, Roger 21-22
Bamberger Reiter, Bamberg,
Kathedrale 84, *85*
Bardi Familie: Gräber 91-92, *93*
Baroncelli-Kapelle, Santa Croce
(Gaddi) 51, 51-52
Bastidenstädte 60, *60*
Becket, hl. Thomas: Reliquie 45
Belleville Breviarium (Pucelle) 97,
97
Benedikt XII., Papst 126
Berry, Jean Graf von 67-68
Bible Moralisée 78-79, *79*, 82
Bilderverehrung 104-105, 106, *s.
auch* Jungfrau
Bildhauer 37, 175, *177*
Blakenei: Astrolabium 98, *98*
Blanche von Kastilien *41*, 164
Blumen und Pflanzen, Darstellung von
133-37
medizinischer Nutzen von 139-40
Boccaccio, Giovanni: *Decamerone*
48, 178
Bologna Universität 21, 153
Bonaventura, hl. 134
Bonifazius VIII., Papst 19, 158
Bona von Luxemburg 154
Psalter und Stundenbuch 154,
156
Bourges, Kathedrale 89, *89*, 99, 153,
170
Haus von Jacques Coeur 65, *66*,
67
Mehun-sur-Yèvre, Schloß 68
Brailes, William de: *Jüngstes Gericht*
91, *91*
Birgitta von Schweden, hl. 19, 127-28
*Christi Geburt mit der hl. Birgitta
von Schweden* (Altarbild) 128,
128
*Revelations of St. Bridget of
Sweden* 19, *19*, 22
Broederlam, Melchior: *Verkündigung*
52, *53*, 54
Buchmalerei 15, 120, *121*, 122-23
Apokalypse *15*, 17, 28-29, *29*
Belleville Breviarium 97, *97*
Bible Moralisée 78-79, *79*, 82
Cántigas de Santa Maria 115,

115, 118
Die Uhr der Weisheit 99, *99*
Göttliche Komödie 145, 145-46
L'Estoire de Saint Graal 20, *21*
Grandes Chroniques de France
84, 87, *87*
Haggada 100, *101*
Hedwig Codex 129-30, *130*
Jüngstes Gericht (Brailes) 91, *91*
Livre de la Propriétés des Choses
67, 67
Omne Bonum 126, *127*
Randverzierungen 147, *149*, 151,
152, *153*, 154
Revelations of St. Bridget 19, *19*,
22
Salle de Fortune 87-88, *88*
Vie de St. Denis 61-62, *62 s.
auch* Stundenbuch; Psalter
Weltkarte 57, *57*
Buntglasfenster 40, 44, 45, 51, *52*, 52,
83, *108*, 108
Chartres, Kathedrale *31*, 33, *41*,
41-42, 175, *177*
Saint-Denis 40, 74, *74*
Burgen 58, 59, 67, 68

Canterbury, Kathedrale 40, 31, *44*, 45
Cantigas de Santa Maria
(Buchmalerei) 115, *115*, 118
Cennini, Cennino 178
Champmol, Dijon: *Verkündigung*
(Altarbild) (Broederlam) 52, *53*, 54
Philip der Kühne (Sluter) *Frontis.*,
112, 113, 115
Chartres, Kathedrale 21, 31, 36
Chorschranke (Lettner) 105, *144*, 144-
45
Fenster *31*, 33, *41*, 41-42, 54,
175, *177*
Tympanon *73*, 73-74, *74*
Westportale *71*, 71-73, *72*
Christine de Pisan 87, *88*
*Christi Geburt mit der hl. Birgitta von
Schweden* (Altarflügel) 128, *128*
Christi Leiden 118-19, *s. auch*
Kreuzigung
Chroniken, Stadt- 84, 87, *87*
Coeur, Jacques: Haus, Bourges 65,
66, 67
Conwy castle, Gwynned 58, 59
Cormont, Renaud und Thomas de 12

Dante Alighieri: *Göttliche Komödie*
145, 145-46
Decamerone (Boccaccio) 48, 178
Decorated style 36, 40
Denis, St., Bischof von Paris 61, *62*

Dezember (aus dem Belleville
Breviarium; Pucelle) 97, *97*
Dichtung, Lyrik 139, 141, 167, 171-73
*Dictionnaire raisonné de l'architecture
française* (Viollet-le-Duc) 10, *10*
*Diptychon mit Madonna und Kind und
dem Schmerzensmann* 116, *116*
Dominikanischer Orden 14, 21, 25,
51, 97, 99, 110, 119, 120, 149
Drei Lebenden und die drei Toten, Die
(Le Noir) 154, 156
Dreiturmreliquiar *38*, 40, 104, *105*
Drachen 55, 57, 139, 140, *140*, 142
Duccio di Buoninsegna: *Rucellai
Madonna* 110, *111*

Early English Gothic 36, 45
Eduard I., König von England 59, 60,
163, *164*
Eduard II., König von England: Grab
38, 40
Eduard III., König von England:
Sechstes Großsiegel 165, *165*
Eleanor von Kastilien, Königin 163
Bildnis (Torel) 163, *163*
Elfenbein 112-13, 118, *119*, 167, 170,
171
Emaillearbeit 44, *76*, 77
Erfurt: Barfüsserkirche (Glasmalerei)
108, *108*
Eselsrückenbögen 40
Estoire de Saint Graal, L' 20, 21
Evelac, König 20, 21
Eyck, Jan van 179

Farendon, William de 163
Firmin, hl. 95, 136
Flamboyant style 36, 137
Flämische Malerei 179, 180
Floreffe, Belgium: Kreuzreliquar 103-
104, *104*
Florenz 178
Campanile reliefs (Pisano) 178,
178
Santa Croce: Bardi di Vernio
Kapellengräber 91-92, *93*
Baroncelli-Kapelle 51, 51-52
Basilika 51
Folgen der guten Herrschaft, Die
(Lorenzetti) 63-65, *64*
Francke, Meister: *Schmerzensmann*
103, 119
Franz von Assisi, hl. 105-6, *107*, 108
*Der heilige Franz hält Zwie-
sprache mit dem Kreuz* (Fresko)
106, *107*
*Der heilige Franz empfängt die
Stigmata* (Glasmalerei) 108, *108*

Franziskanischer Orden 14, 21, 23, 51, 92, 95, 107-8, 134
Fresken 46, *48*, 48, 49, 63-65, *64*, 106, *107*
Friedrich II., Heiliger Römischer Kaiser 84
Froissart, Jean 68
Fronleichnamsfest 109
Fünf-Sinne-Teppich 172-73, *173*
Fusoris, Jean: mechanische Uhr 99

Gaddi, Taddeo: Baroncelli-Kapelle, Santa Croce *51*, 51-52
Grab, Santa Croce 92, *93*
Gärten 138-39, 141, 142-43
Geheimnis der Geheimnisse 166
Gehirn, Schaubild vom 23, *23*
George, hl.: *Szenen aus dem Martyium des hl. Georg* (von Sax) *159*, 159-60
Gewölbe: *crazy-vault* 15, *16*
Rippe 10
Giotto di Bondone 15, 51, 98, 106, 178
Arena-Kapelle, Fresken 46, 48, *48*
Baroncelli-Kapelle, Altarbild 51-52
Florenz, Campanile 178
Gloucester, Kathedrale: Grab von Eduard II. *38*, 40
Göttliche Komödie (Dante) *145*, 145-146
Goldschmiedekunst 38, 40
Gotischer Stil, Definitionen 9
Phasen 36
Gotland, Insel: Lärbro-Kirche 55, *55*, 57
Gräber und Grabstatuen *91*, 91-92, *93*, 163, *163*
Übergangsgrab 158, *158*
Grandes Chroniques de France 84, 87, *87*
Grassi, Giovannino de': illuminiertes Alphabet 149, *150*
Gregor der Große, Papst 120, *120*
Gregor IX., Papst 34
Grosseteste, Robert, Bischof von Lincoln 45

Haggada nach Aschkenasischem Ritus (Buchmalerei) 130, *131*
Handel 14, 59, 60, 61, 64, 65, 92
Hedwig Codex (Buchmalerei) 129-30, *130*
Heinrich III., König von England 57, 59

Heinrich VIII., König von England 45
Heraldik 20, 165, 172
Hereford, Kathedrale 57
High Gothic style 36
Historia Anglorum (Paris) 173-74, *174*
historische Chroniken 84, 87-88
höfisches Leben 20
höfische Liebe (Minne) 20, 21, 167
Holzschnitt 120
Horologium Sapientiae (Seuse) 99, *99*
Hugo von Saint-Victor 73, 143

Imhoff, Hans, der Ältere 55
Ines de Castro: Grab 91, *91*
Innozenz V., Papst 34
Internationaler Gotischer Stil (Schöner Stil) 159

Jean de Jandun 63
Jerusalem 28, 31, 40, 57, *57*
Juden *126*, 130, *131*
Jüngstes Gericht (von Brailes) 91, *91*
Jungfrau, Madonnenkult 33, 52, 110
Beschreibung des 110, 112-13, 115, 118, 123, 128-29
und Licht 48, 51
Reliquie der 31
und der hl. Lukas 179-80, 180
Fenster und 54
Jungfrau in einem Garten (Mittelrheinischer Meister) 142, 142-43

Kapitelle 134-35, *135*
Kardinal Nicholas von Rouen (Tommaso da Modena) 147, 149, *149*
Karl IV., Heiliger Römischer Kaiser 48, 49, 84
Karl V., König von Frankreich 67, 84, 87, 87, 158, 165-66, 172
Bildnisse *166*, 167
Karlstein, Schloß: Kreuzkapelle 48-49, *49*
Karten 57, *57*, 59, 161
Kathedralen 10, 11, 15, 27-28, 29, 60; s. auch einzelne Kathedralen
Katharina von Siena, hl. 19, 106
Klosterneuberg bei Wien: Altar (Nicholas von Verdun) 76, 77-78
Klunianzensischer Psalter 152, 153
Köln, Kathedrale 9
Dreikönigsschrein 40
Konstantinopel 46, 103
Kräuter 139-40, *140*

Krafft, Adam: Tabernakel, Kirche von Sankt-Lorenz, Nürnberg 55
Kreuzfahrer 46, 57, 87, *87*, 103
Kreuzigung 105, *106*, *107*
Künstler, Status der 175, 178-79

Lärbro-Kirche, Gotland 55, *55*, 57
La Grange, Kardinal von: Grab 158, *158*
Laienbruderschaften 105
Laon, Kathedrale 27, *27*, *28*, 134
Lapislazuli 140, *140*
La Vue (aus dem *Fünf-Sinne*-Teppich) 172-73, *173*
Le Noir, Jean: *Die drei Lebenden und die drei Toten* 154, *156*
Libergier, Hugues 175
Licht, Gebrauch von 25, 41-42, 44-46, 48-49, 51, 74
Liebesdichtung 141, s. *Roman de la Rose*
Limburg-Brüder: Stundenbuch *Les Très Riches Heures* 68, *68*
Lincoln, Kathedrale 15, *16*
Lisle, Robert de 95
Psalter von 92, *94*, 95
Livre des métiers 175
Livre de la Propriétés des Choses (Buchmalerei) 67, *67*
Löwen *143*, 143-44, 146, *146*
London: Westminster Abbey: Eleanor von Kastilien, Bildnis *163*, *163*
Heinrichs VII. Kapelle 10
Westminster-Palast 57, 63
Lorenzetti, Ambrogio: Fresken, Palazzo Pubblico, Siena 63-65, *64*
Lorris, Guillaume de: *Roman de la Rose* 171
Lübeck: Rathaus 60, *61*
Ludwig IX., König von Frankreich (hl. Ludwig) 16, *41*, 46, 166
Ludwig I., Herzog von Leignitz 130, *130*
Lukas, hl. 179
Der hl. Lukas malt das erste Madonnenbild (Meister des Augustineraltars) 179, *180*
Luzarches, Robert de: Amiens, Kathedrale 12, *12*

Magie, Magisches 139, 140
Manessische Liederhandschrift 167, *170*
Maria von Burgund, Stundenbuch (Spiering) 183, *183*
Marienstatt, Kloster (Hochaltarretabel) 122, 123-24

Marktplätze 60, *60*, 61
Martini, Simone (Kreis um): *Der Triumph des hl. Thomas von Aquin 25*, 25
Maso di Banco: Grabfresko 91-92, *93*
Maßwerkfenster *10*, *33*, 34, 54
Meditationen über das Leben Christi 92
Mehun-sur-Yèvre,Schloß bei Bourges 68
Memmi, Lippo: *Der Triumph des hl. Thomas von Aquin 25*, 25
menschlicher Körper 89, 151, 152-54, 158, 159-61
Messe 19, 109, *109*, 110
Metrical Life of St. Hugh 16
Meung, Jean de: *Roman de la Rose* 171
Miserikordien 151, *151*
Mittelrheinischer Meister: *Jungfrau in einem Garten 142*, 142-43
Monster und das Monströse 59, 139, 149, 151-52, *152*, *153*
Montpazier 60, *60*
Montreuil, Pierre de 175
Musterbücher *143*, 143-44, *146*, 147, 149, *150*
Mysterienspiele 20
Mystik und mystische Erfahrungen 19, *19*, 20, 42, 106, 120, *121*, *122*, 122-28

Nacktheit 89, 153, 160
Natur 138-39, 141, *s. auch* Blumen und Pflanzen
Naturalismus 83-84, 105, *106*, 133-34, 149
Naumberg, Kathedrale
    Chorschranke 105, *106*
    Kirchenchor 83-84
Neoplatonismus 22, 45
Nicholas von Verdun: Klosterneu-berger Altar *76*, 77-78
Nominalismus 147
Nonnen 115, 120, *121*, 122, *124*, 124-25, 128
Notre Dame, Kathedrale *s.* Paris
Nürnberg: Sankt-Lorenz *54*, 54-55

Ockham, William von 146-47
Offenbarung 15, *15*, 16-17, *17*, 28, 73
Omne Bonum (Buchmalerei) 126-27, *127*
Opicino de Canistris 160-61
    Afrika flüstert in Europas Ohr 160, 161
opus anglicanum 110, 110
Oxford Universität 21, 22

Padua: Arena-Kapelle, Fresken (Giotto) 46, 48, *48*, 49, 54
Paris 61-62
    Cimetière des Innocents 158
    Zünfte 175
    Notre Dame 21, 29, 61, 134, 175
    Adam *133*, *133*
    Sainte-Chapelle 46, *46*, 48, 61, 62
    Universität 21, 22, 153 *s. auch* Saint-Denis
Paris, Matthew 84
    Selbstporträt des zu Füßen der Madonna mit Kind knienden Künstlers 173-74, *174*
Parler-Familie (Steinmetze) 37
Pecham, John, Erzbischof von Canterbury 22-23
    Perspectiva communis 22, 23
Perpendicular style 36, 45, 137
Perspectiva communis (Pecham) *22*, 23
Perspektive 64, 180, 183
Pest 14, 154-55
Peter von Blois 165
Peter, König von Portugal 91
Petrus Cantor 29
Philip IV., König von Frankreich 164
Philip V., König von Frankreich 62
Philip II.August, König von Frankreich 28, 29
Philip, Herzog von Burgund (der Kühne) 52, 68
    Philip der Kühne und seine Frau werden der Jungfrau präsentiert (Sluter) *Frontis.*, *112*, 113, 115
Philip, Graf von Naumur (der Edle) 10
Physik, des Aristoteles (Buchmalerei) *138*, 138
Pieta, Kloster Seeon 128-29, *129*
Pilger 31, 33, 40, 45, 71, 104
Pilgram, Anton: Selbstporträt 179, *179*
Pisa: Santa Caterina (Tafelmalerei) 25, *25*
Pisano, Andrea: Florenz, Campanile Reliefs 178, *178*
pochon temproir 152
Porträtkunst 164-67
Prag: Hradschin (Halle) 63, *63*
    Synagoge 130
Psalter 57, *57*, 124, 125-26, *126*
    der Bona von Luxemburg 154, *156*
    kluniazensischer 152, *153*
    des Robert de Lisle 92, *94*, 95
    St. Louis *9*, 16
Pucelle, Jean 152
    Dezember (from Belleville Breviarium) 97, *97*
Pugin, Augustus Charles 9
    Specimens of Gothic Architecture (Frontis.) 10
Pugin, Augustus Welby Northmore 9
    True Principles of Pointed or Christian Architecture 9

Rad der zehn Lebensalter des Menschen, Das (Buchmalerei) 92, *94*, 95
Rayonnant Periode 36, 37, 40
Reims: Kathedrale 31, *32*, 33, 33-34, 36
    Kapitelle 135
    Statuen 34, *34*, *82*, 82-83, *83*, 89, *164*, 164-65
    Kirche von St. Nicaise 175
Reliquie 31, 33, *46*, 46, 103-4, 118, 123-24, *s. auch* Reliquienschrein
Reliquienschrein: Floreffe-Triptychon 103-4, *104*
    Dreitturmreliquiar *38*, 40, 104, *105*
    Triptychon mit dem Schmerzensmann 119, *119*
Richard II., König von England 166, 167
    König Richard II. wird der Jungfrau präsentiert (Wilton Diptychon) 166-67, *167*
Richard von Saint-Victor 16-17, 21
Ried, Benedikt: Halle, Hradschin, Prag 63, *63*
Ritterspiele 20
Roman de la Rose (de Lorris und de Meung) 141, 171-72, *172*
Romanischer Stil: Architektur 15, 36, 45, 52, 59, 88
    Kunst 135, 174-75
    Reliquienschreine 38
    Skulpturen 33, 57, *71*, 71, 73, 135, 151, 165
Rucellai Madonna (Duccio di Buoninsegna) 110, *111*

Saint- Denis, Kathedrale bei Paris 27, 31, 40, 42, 72, 74, 77
    Buntglasfenster 74, *75*
    Sainte-Chapelle, Paris *s.* Paris
    St. Louis Psalter *9*, 16
Salisbury, Kathedrale 31
Salle de Fortune (Buchmalerei) 87, 88
Sax, Andrés Marçal de: *Szenen aus dem Martyriumn des hl. Georg 159*, 159-60
Schach 61, 170, *171*

Schmerzensmann, Bild vom 118
   Diptychon *115*, 118
   Erbärmdebild (Meister Francke)
   103, 119
   Reliquientriptychon 119, *119*
Schnitzereien *139*, 139
Schwarze Tod, der 154-55
Scrovegni, Enrico 48
Seeon-Kloster bei Salzburg: Pieta
   128-29, *129*
Selbstporträt (Pilgram) 179, *179*
Selbstporträt des zu Füßen der
   Madonna mit Kind knienden
   Künstlers (Paris) 173-74, *174*
Seuse, Heinrich: Die Uhr der Weisheit
   99, *99*
Siegel von Eduard III. 165, *165*
Siena: Palazzo Pubblico (Lorenzetti
   Fresken) 63-65, *64*
Sluter, Claus: Philip der Kühne und
   seine Frau werden der Jungfrau
   präsentiert Frontis., *112*, 113,
   115
Soest: Maria zur Wiese 52, *52*
Soissons, Kathedrale 37
   Kapitell 134, *135*
Southwell minster, England 135
Specimens of Gothic Architecture
   (A. C. Pugin) 10
Spiegel 167, 170, 171, *171*, 172
Spiering, Nicolas: Christi Annagelung
   ans Kreuz (aus dem Stunden-
   buch der Maria von Burgund)
   183, *183*
Stadthallen 60, *61*
städtischer Aufschwung 14, 59-61
Statuen 37-38, 40, 71-74, 82-84
   Amiens, Kathedrale 95, 97
   Blumen und Pflanzen 133-37
   Chartres, Kathedrale 71-74
   Chorschranken 105, *106*
   grosteske Darstellungen 151-52
   menschlicher Körper 89, 151,
   152-54
   Porträtkunst 164-65, 166, *167*
   Reims, Kathedrale 34, 82-84,
   89
   Wells, Kathedrale 31 s. auch
   Gräber und Grabstatuen
Stickerei 110, *110*, 125, *125*
Stundenbuch *42*, 44-45, 97-98, 124
   der Bona von Luxemburg 154,
   156
   der Maria von Burgund (Spiering)
   183, *183*
   Les Très Riches Heures (Brüder
   Limburg) 68, *68*
Stoss, Veit: Verkündigung 55
Straßburg, Kathedrale *36, 37*, 37, *133*,
   133

Strebebögen *10, 32*, 33, 34
Suger, Abt 28, 31, 40, 42, 74, *75*, 77,
   78, 134
Summa Theologica (Aquin) 25
Syon Cope 110, *110*
Szenen aus dem Martyrium des hl.
   Georg (von Sax) *159*, 159-60

Tafelbildmalerei 180, s. auch Tempera
   Technik
Tempera-Technik 25, 25, 51-52, *53*,
   103, 115, *118, 124*, 142, *142*,
   159, 159-60, 166-67, *167, 180*,
   180
Tiere 143-47, 152, s. auch Drachen
Tommaso da Modena: Kardinal
   Nicholas von Rouen 147, 149,
   149
Torel, William: Bildnis der Königin
   Eleanor von Kastilien *163*, 163
Totentanz 155
Très Riches Heures, Les (Limburg-
   Brüder) 68, *68*
Treviso: Kapitelsaal, Fresko 147, 149,
   149
Trinity College, Cambridge:
   Apokalypse 28, *29*
Triumph des hl. Thomas von Aquin,
   Der (Kreis um Martini und
   Memmi) 25, *25*
Troyes: St. Urbain *34, 34*, 36
True Principles of Pointed or Christian
   Architecture (A. W. N. Pugin) 9
typologische Schemata 74, *76*, 77,
   78-79, 82

Über Pflanzen (Albertus Magnus) 137
Übergangsgräber *158*, 158
Uhr der Weisheit, Die (Seuse) 99, *99*
Uhren 98-99
Universitäten 21, 22, 153
Urban V., Papst 34

Verkündigung (Broederlam) 52, *53*, 54
Versuchung Christi, Die (Limburg-
   Brüder) 68, *68*
Vie de St. Denis (Manuskript) 61-62,
   62
Vigevano, Guido de 153-54, 155
Villard de Honcourt: Musterbuch *143*,
   143-44
Viollet-le-Duc, Eugène Emmanuel 10
   Dictionnaire raisonné de
   l'architecture française du XIe au
   XVIe siècle 10
Vision, mittelalterliche Theorien über
   16-17, 19-20, 21-23, 22, 25, 42

Visionen und Visionäre 19, 20, 40,
   120, *120*, 121, 122-23, 126-28
Visiones beatae (Buchmalerei) 126-
   27, *127*
Vögel 147, *149*, 167, 170

Wandteppiche 87
   Apokalypse 17, *17*
   Fünf Sinne 172-73, *173*
Wasserkrug, vergoldetes Silber 151-
   152, *152*
Wasserspeier 38, 151
Wells, Kathedrale *30*, 31
Westminster Abbey und Palast s.
   London
Wien: Stephansdom (Pilgram-
   Selbstporträt) 179, *179*
Wilton Diptychon 166-67, *167*
Wucherer 92

Zisterzienser-Orden 51, 130
   Kloster-Altarbild *122*, 123-24
Zünfte 175, 179